1 학년이 꼭 알아야 할

사고력 연산

저자

왕수학연구소장 **박명전**

- 기초 연산 능력 증진
- 사고를 통한 연산 능력 증진
- 사고력과 연산 능력 향상의 이중 효과

1학년이 꼭 알아야 할 사고력연산

사고력연산 구성

- 1학년부터 6학년까지 학년별로 구성되어 있습니다.
- 개념 연산의 기초개념과 원리를 다루었습니다.
- 사고력 기르기 Step 1 약간의 사고를 필요로 하는 연산 문제를 다루었습니다.
- 사고력 기르기 Step 2 좀 더 발전적인 사고를 필요로 하는 연산 문제를 다루었습니다.
- 실력 점검 한 단원을 마무리하는 문제를 다루었습니다.

사고력연산 특징

- 연산의 원리를 알고 계산할 수 있도록 구성하였습니다.
- 기초 연산 능력을 충분히 키울 수 있도록 구성하였습니다.
- 연산 능력과 사고력 향상이 동시에 이루어질 수 있는 문제를 다루었습니다.
- 사고를 통해 연산을 하는 과정에서 연산 능력이 저절로 향상될 수 있도록 구성하였습니다.

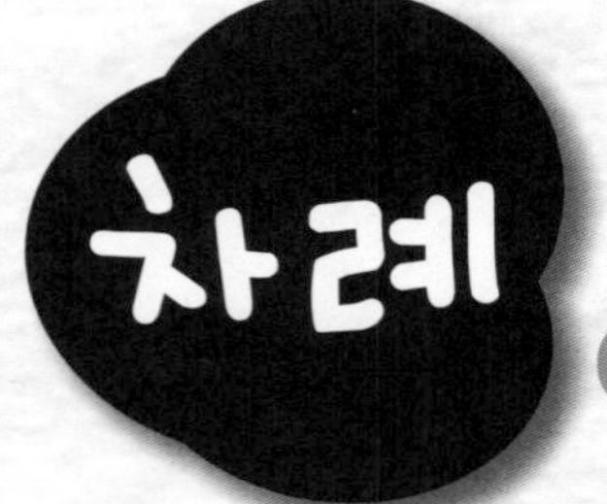

차례 Contents

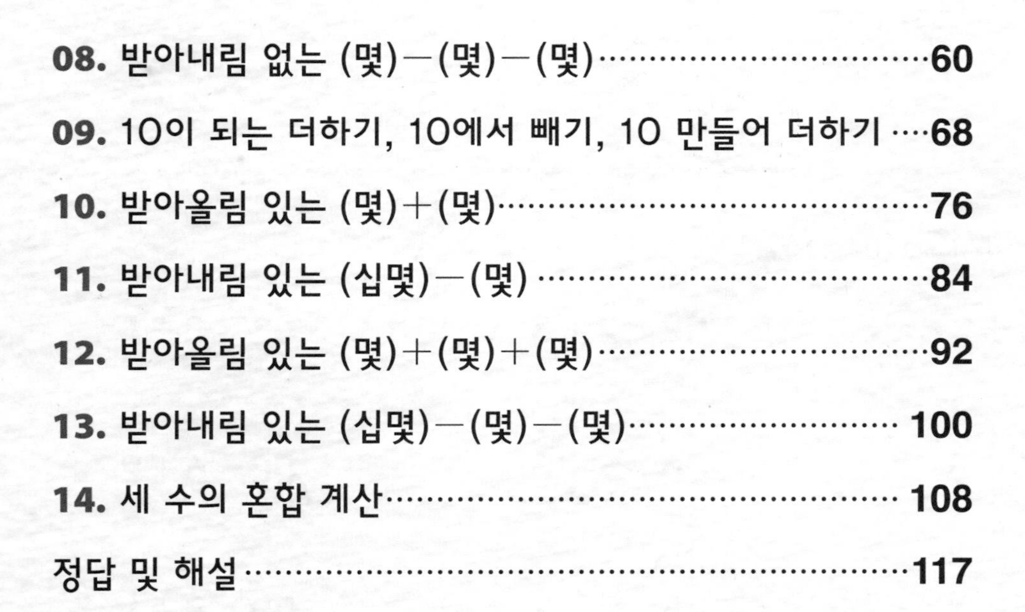

사고력연산

1학년

01 받아올림 없는 (몇)+(몇)

개념

1. 덧셈 알아보기

2와 3을 더하는 것을 2+3이라 쓰고 2 더하기 3이라고 읽습니다.

2. 덧셈식 알아보기

덧셈식 ⟶ 3+4=7

읽기 ⟶ 3 더하기 4는 7과 같습니다.

세로 덧셈 ⟶ $\begin{array}{r} 3 \\ +\ 4 \\ \hline 7 \end{array}$

계산을 하시오. (01~15)

01 1+2

02 2+3

03 3+1

04 4+3

05 4+5

06 6+2

07 5+3

08 7+2

09 8+1

10 $\begin{array}{r} 2 \\ +\ 4 \\ \hline \end{array}$

11 $\begin{array}{r} 3 \\ +\ 3 \\ \hline \end{array}$

12 $\begin{array}{r} 1 \\ +\ 7 \\ \hline \end{array}$

13 $\begin{array}{r} 4 \\ +\ 4 \\ \hline \end{array}$

14 $\begin{array}{r} 5 \\ +\ 2 \\ \hline \end{array}$

15 $\begin{array}{r} 3 \\ +\ 6 \\ \hline \end{array}$

□ 안에 알맞은 수를 써넣으시오. (16~39)

16 $1+\square=4$

17 $2+\square=5$

18 $3+\square=7$

19 $4+\square=5$

20 $5+\square=8$

21 $6+\square=9$

22 $\square+3=5$

23 $\square+3=6$

24 $\square+5=7$

25 $\square+1=7$

26 $\square+6=8$

27 $\square+2=9$

28 $\begin{array}{r} 1 \\ +\ \square \\ \hline 5 \end{array}$

29 $\begin{array}{r} 2 \\ +\ \square \\ \hline 6 \end{array}$

30 $\begin{array}{r} 3 \\ +\ \square \\ \hline 6 \end{array}$

31 $\begin{array}{r} 4 \\ +\ \square \\ \hline 7 \end{array}$

32 $\begin{array}{r} 5 \\ +\ \square \\ \hline 8 \end{array}$

33 $\begin{array}{r} 6 \\ +\ \square \\ \hline 7 \end{array}$

34 $\begin{array}{r} \square \\ +\ 5 \\ \hline 7 \end{array}$

35 $\begin{array}{r} \square \\ +\ 4 \\ \hline 8 \end{array}$

36 $\begin{array}{r} \square \\ +\ 7 \\ \hline 9 \end{array}$

37 $\begin{array}{r} \square \\ +\ 2 \\ \hline 6 \end{array}$

38 $\begin{array}{r} \square \\ +\ 3 \\ \hline 5 \end{array}$

39 $\begin{array}{r} \square \\ +\ 3 \\ \hline 7 \end{array}$

사고력 기르기

Step 1

주어진 조건을 보고 도형이 나타내는 수를 구하시오. (01~10)

01 ♡=2　☆+♡=8　☆=□

02 △=3　△+○=7　○=□

03 □=5　△+□=8　△=□

04 ○=2　☆+○=6　☆=□

05 ♡=4　♡+□=9　□=□

06 △=6　□+△=6　□=□

07 □=7　☆+□=8　☆=□

08 ☆=5　△+☆=7　△=□

09 ○=3　○+△=8　△=□

10 ♡=4　△+♡=7　△=□

주어진 조건을 보고 도형이 나타내는 수를 구하시오. (11~16)

11

3+△=8　　☆+△=9

→ △=□　　☆=□

12

■+4=4　　♡+■=2

→ ■=□　　♡=□

13

6+●=8　　●+3=♡

→ ●=□　　♡=□

14

△+5=9　　3+△=■

→ △=□　　■=□

15

3+△=8　　☆+△=7　　☆+☆=■

→ △=□　　☆=□　　■=□

16

■+4=6　　♡+■=5　　♡+♡=△

→ ■=□　　♡=□　　△=□

사고력 기르기

Step 2

보기 에서 규칙을 찾아 빈칸을 채워 보시오. (01~08)

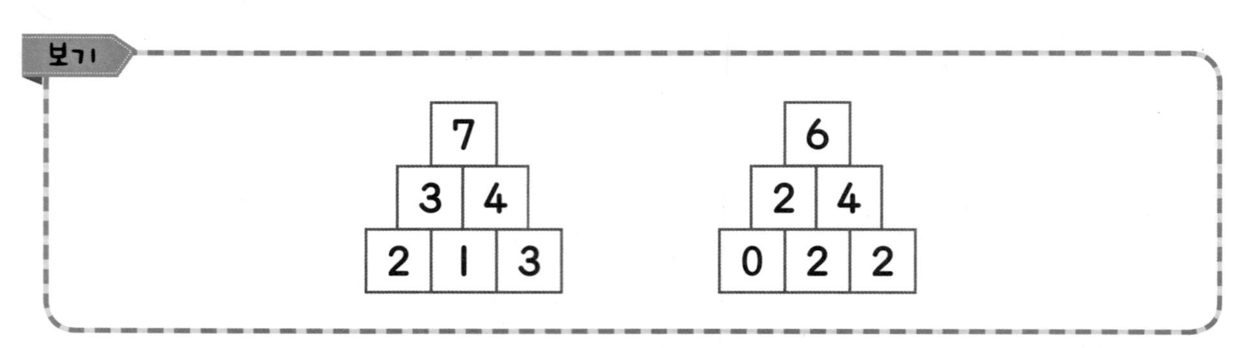

01

	7	
	☐ ☐	
2	0	☐

02

	8	
	☐ ☐	
☐	1	2

03

	6	
	☐ 3	
1	☐	☐

04

	9	
	2 ☐	
☐	☐	6

05

	☐	
	5 ☐	
☐	2	2

06

	☐	
	4 1	
☐	☐	0

07

	8	
	☐ ☐	
2	☐	6

08

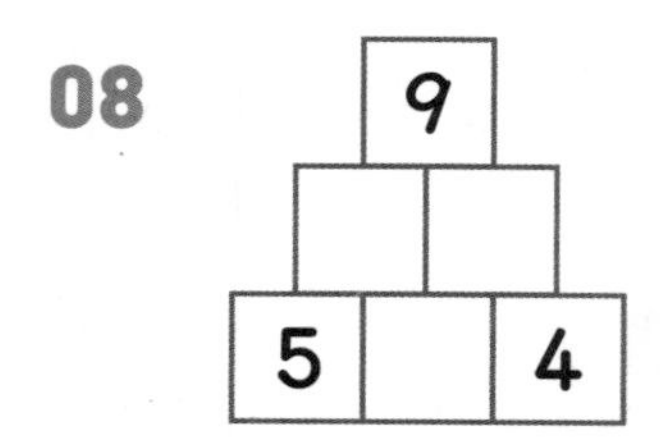

Step 2

면봉으로 1부터 9까지의 숫자를 만들었습니다. 보기 와 같은 방법으로 면봉 1개를 옮겨 덧셈식에 맞도록 만들어 보시오. (09~12)

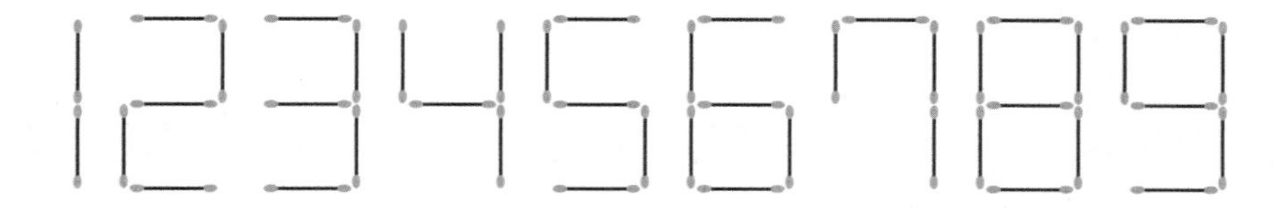

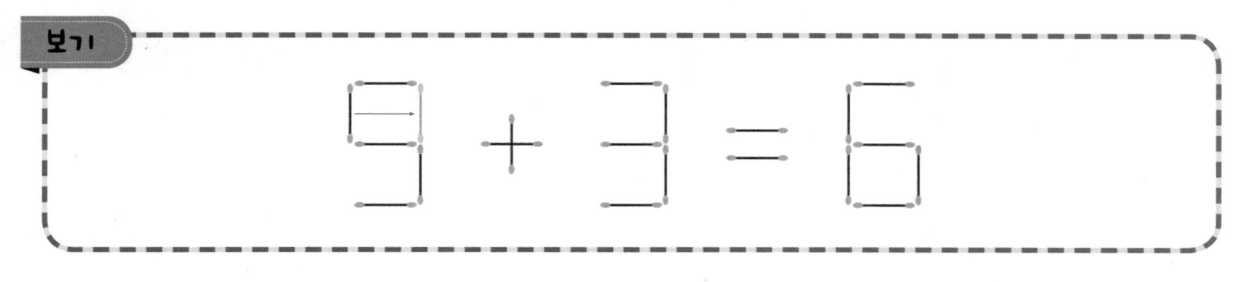

09

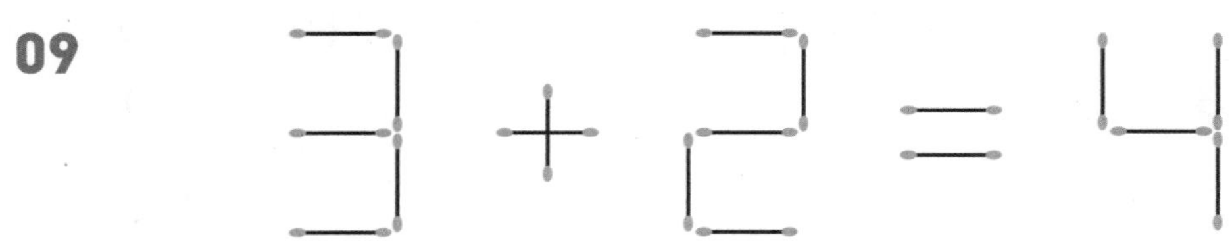

10

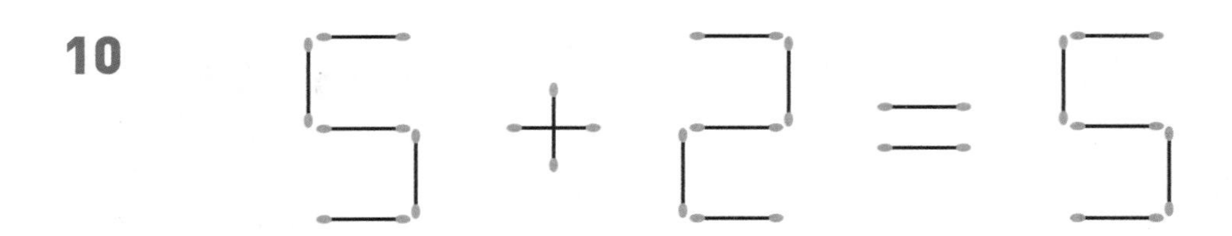

11

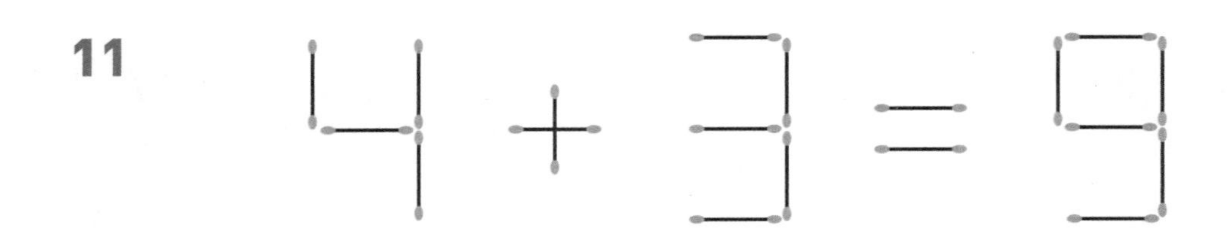

12

2 + 3 = 7

실력 점검

계산을 하시오. (01~12)

01 $5+1$

02 $1+8$

03 $2+7$

04 $3+4$

05 $6+3$

06 $4+5$

07 $\begin{array}{r} 4 \\ +\ 3 \\ \hline \end{array}$

08 $\begin{array}{r} 2 \\ +\ 5 \\ \hline \end{array}$

09 $\begin{array}{r} 2 \\ +\ 6 \\ \hline \end{array}$

10 $\begin{array}{r} 5 \\ +\ 3 \\ \hline \end{array}$

11 $\begin{array}{r} 4 \\ +\ 4 \\ \hline \end{array}$

12 $\begin{array}{r} 7 \\ +\ 1 \\ \hline \end{array}$

□ 안에 알맞은 수를 써넣으시오. (13~24)

13 $2+\square=4$

14 $3+\square=6$

15 $4+\square=9$

16 $\square+5=7$

17 $\square+3=8$

18 $\square+2=6$

19 $\begin{array}{r} 2 \\ +\ \square \\ \hline 7 \end{array}$

20 $\begin{array}{r} 6 \\ +\ \square \\ \hline 8 \end{array}$

21 $\begin{array}{r} 7 \\ +\ \square \\ \hline 9 \end{array}$

22 $\begin{array}{r} \square \\ +\ 4 \\ \hline 7 \end{array}$

23 $\begin{array}{r} \square \\ +\ 4 \\ \hline 8 \end{array}$

24 $\begin{array}{r} \square \\ +\ 5 \\ \hline 6 \end{array}$

주어진 조건을 보고 도형이 나타내는 수를 구하시오. (25~26)

25 ♡=3 △+♡=7 → △=□

26 △+3=6 □+△=8

→ △=□ □=□

27 보기 에서 규칙을 찾아 빈칸을 채워 보시오.

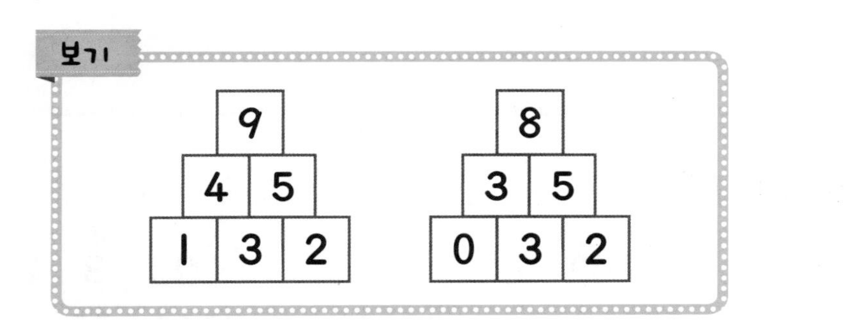

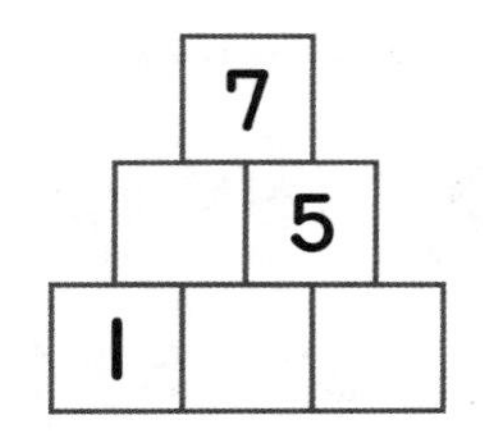

28 면봉으로 1부터 9까지의 숫자를 만들었습니다. 보기 와 같은 방법으로 면봉 1개를 옮겨 덧셈식에 맞도록 만들어 보시오.

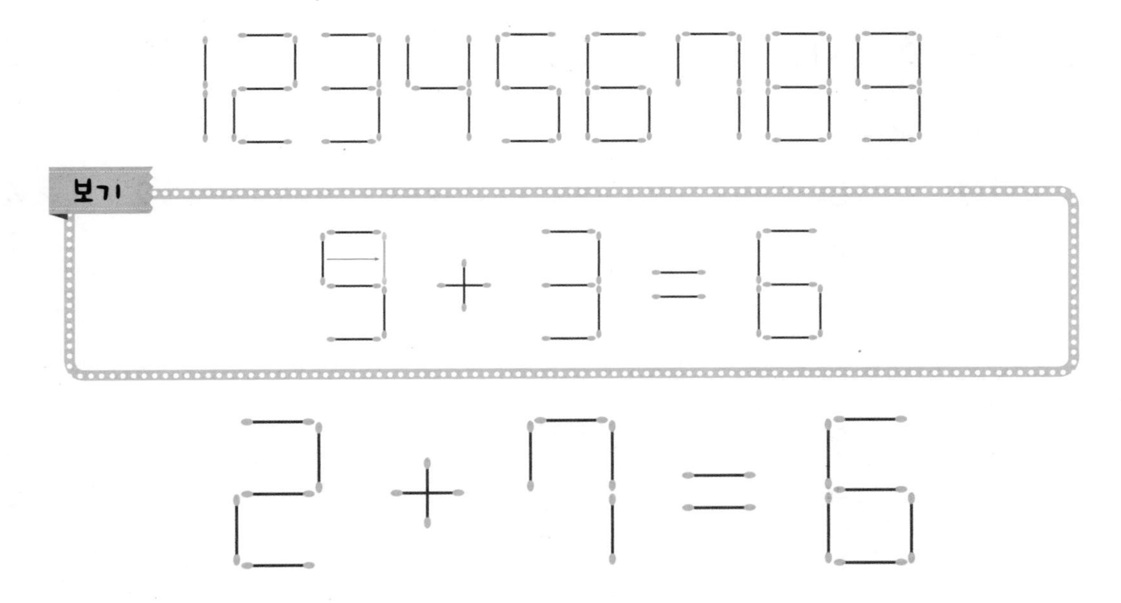

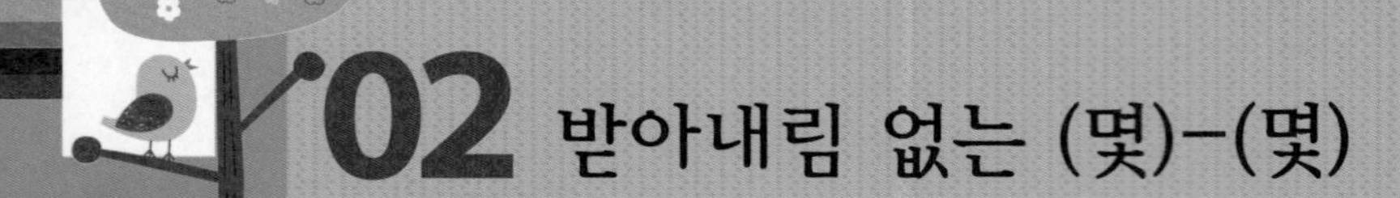

02 받아내림 없는 (몇)-(몇)

개념

1. 뺄셈 알아보기

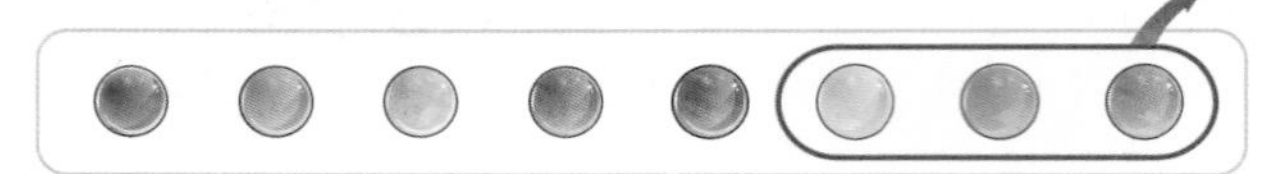

8에서 3을 빼는 것을 8－3이라 쓰고, 8 빼기 3이라고 읽습니다.

2. 뺄셈식 알아보기

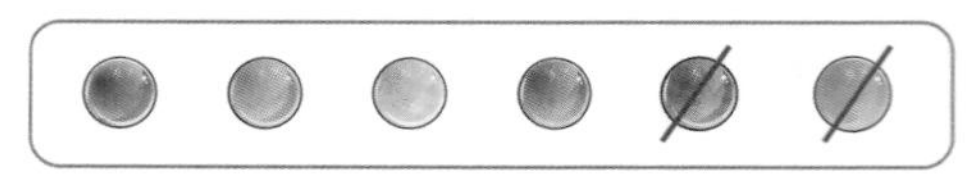

6에서 2를 빼면 4입니다.

6－2＝4 ⟶ 「6 빼기 2는 4와 같습니다.」라고 읽습니다.

뺄셈의 세로셈 ⟶

$$\begin{array}{r} 6 \\ -\ 2 \\ \hline 4 \end{array}$$

계산을 하시오. (01~15)

01 5－1

02 6－3

03 3－2

04 4－2

05 5－3

06 7－4

07 6－4

08 7－5

09 9－5

10 $\begin{array}{r} 8 \\ -\ 3 \\ \hline \end{array}$

11 $\begin{array}{r} 6 \\ -\ 5 \\ \hline \end{array}$

12 $\begin{array}{r} 4 \\ -\ 1 \\ \hline \end{array}$

13 $\begin{array}{r} 9 \\ -\ 3 \\ \hline \end{array}$

14 $\begin{array}{r} 7 \\ -\ 3 \\ \hline \end{array}$

15 $\begin{array}{r} 8 \\ -\ 6 \\ \hline \end{array}$

□ 안에 알맞은 수를 써넣으시오. (16~33)

16 □−1=4

17 □−2=5

18 □−3=2

19 □−4=1

20 □−5=3

21 □−6=2

22 8−□=8

23 6−□=4

24 5−□=3

25 4−□=2

26 8−□=5

27 9−□=0

28 7 − □ = 5

29 9 − □ = 6

30 8 − □ = 4

31 □ − 2 = 7

32 □ − 3 = 5

33 □ − 4 = 2

식이 성립하도록 ○ 안에 −와 =를 알맞게 써넣으시오. (34~41)

34 8 ○ 2 ○ 6

35 5 ○ 1 ○ 4

36 6 ○ 3 ○ 3

37 9 ○ 2 ○ 7

38 5 ○ 8 ○ 3

39 2 ○ 6 ○ 4

40 3 ○ 7 ○ 4

41 4 ○ 8 ○ 4

사고력 기르기

주어진 조건을 보고 도형이 나타내는 수를 구하시오. (01~08)

01 ♥=7 ■−♥=2 → ■=□

02 ▲=3 ●−▲=4 → ●=□

03 ●=2 ★−●=3 → ★=□

04 ■=4 ■−♥=2 → ♥=□

05 ▲=8 ▲−●=5 → ●=□

06 ♥=9 ♥−▲=2 → ▲=□

07 ●−2=5 ●−■=6

→ ●=□ ■=□

08 7−♥=2 ♥−▲=2

→ ♥=□ ▲=□

주어진 조건을 보고 글자가 나타내는 수를 구하시오. (09~15)

09

가－3＝6　　가－나＝4　　나－다＝1

→ 가＝☐　　나＝☐　　다＝☐

10

왕－2＝4　　왕－수＝4　　수－학＝1

→ 왕＝☐　　수＝☐　　학＝☐

11

포－1＝7　　포－인＝5　　인－트＝1

→ 포＝☐　　인＝☐　　트＝☐

12

5－포＝2　　켓－3＝포　　몬－켓＝2

→ 포＝☐　　켓＝☐　　몬＝☐

13

6－아＝4　　리－4＝아　　랑－리＝3

→ 아＝☐　　리＝☐　　랑＝☐

14

선－3＝5　　선－생＝2　　생－1＝님

→ 선＝☐　　생＝☐　　님＝☐

15

곰－4＝1　　곰－돌＝2　　9－돌＝이

→ 곰＝☐　　돌＝☐　　이＝☐

사고력 기르기

보기 에서 규칙을 찾아 빈칸에 알맞은 수를 써넣으시오.(단, 빈칸에는 한 자리 수만 넣을 수 있습니다.) (01~08)

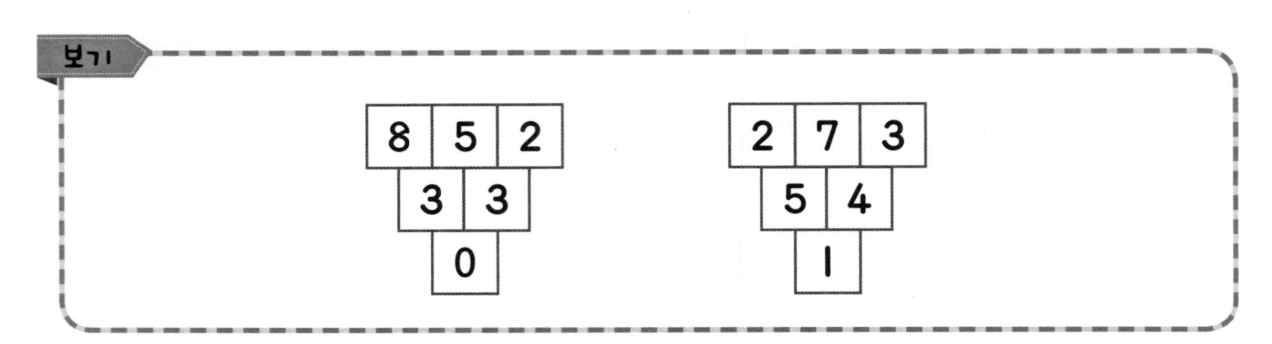

01

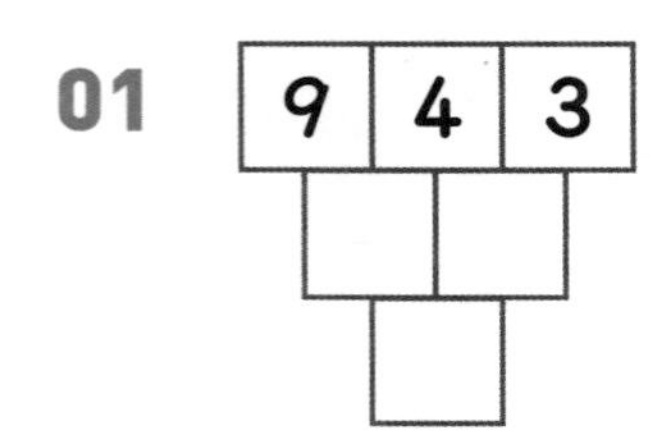

02

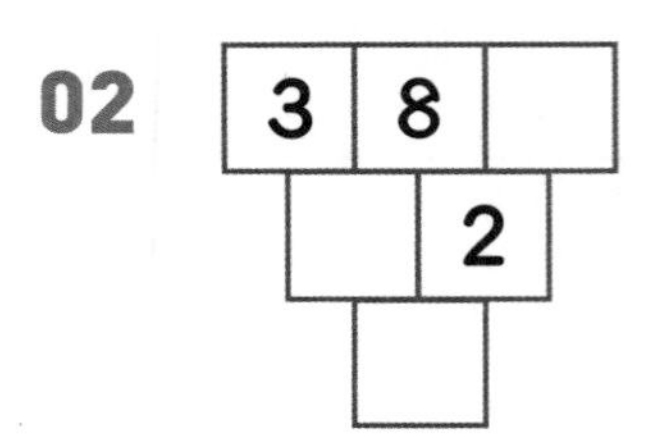

03

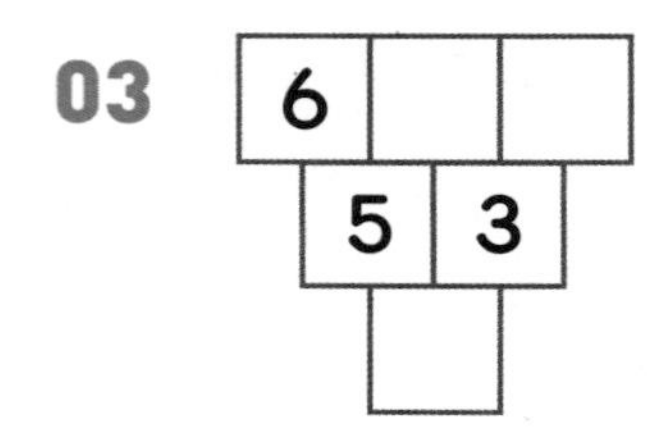

04

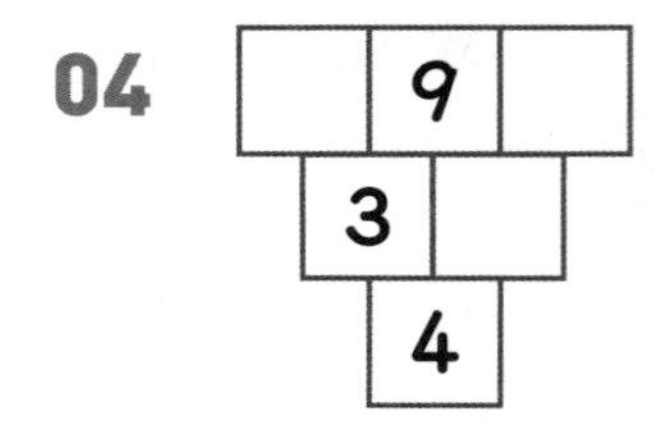

05

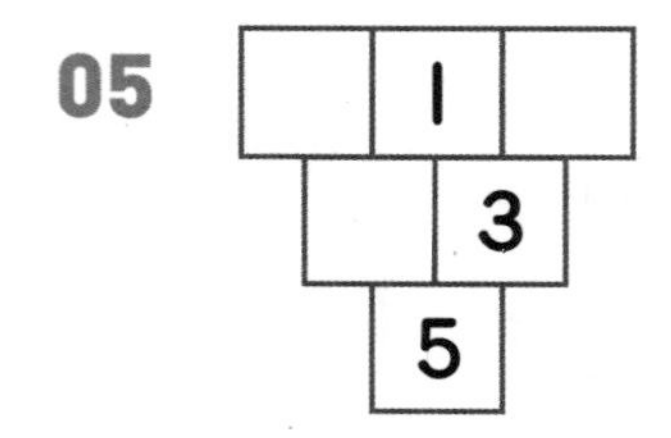

06

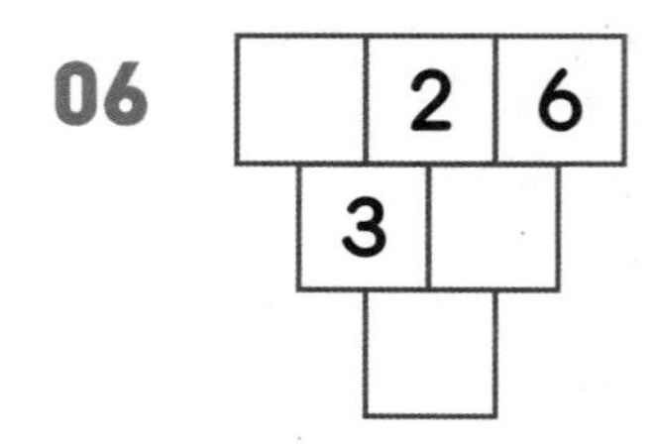

07

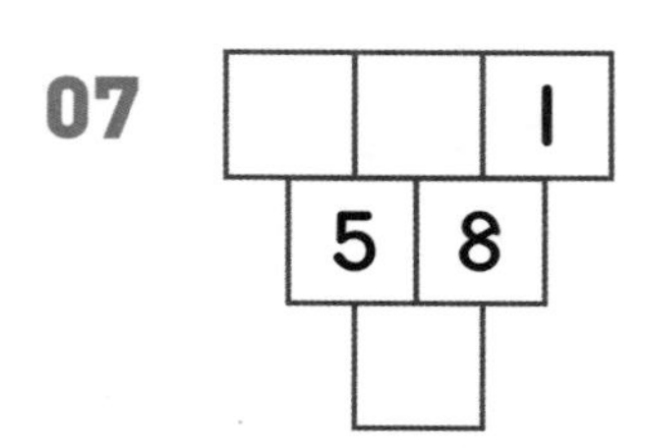

08

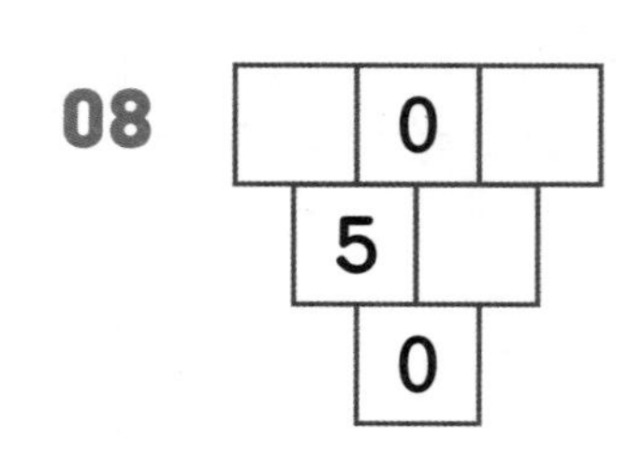

○ 안에 들어갈 수는 양쪽에 있는 □ 안의 두 수의 차입니다. 빈 곳에 알맞은 수를 써넣으시오.(단, 빈 곳에는 한 자리 수만 넣을 수 있습니다.) (09~16)

09

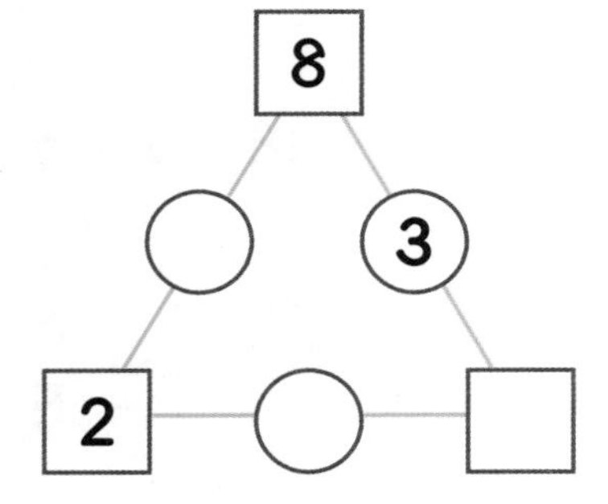

10

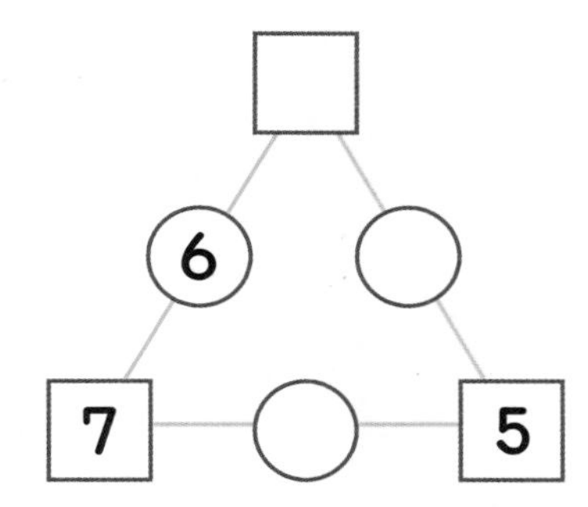

11

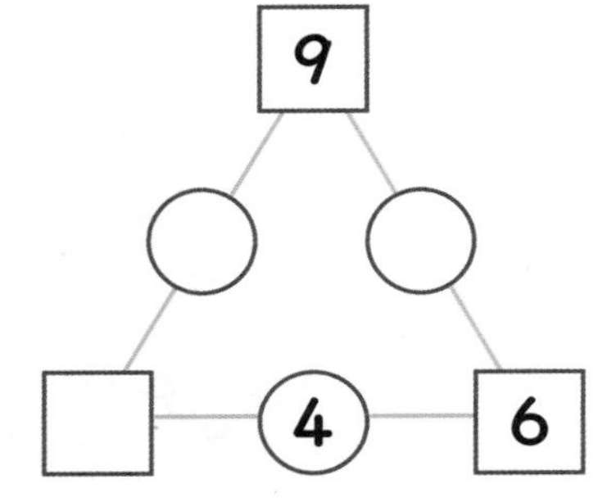

12

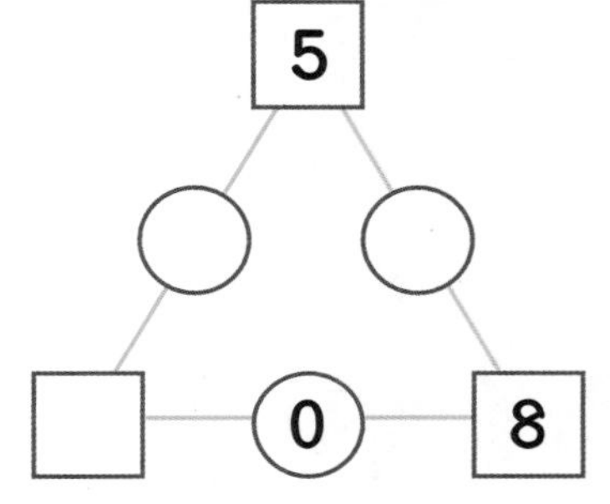

13

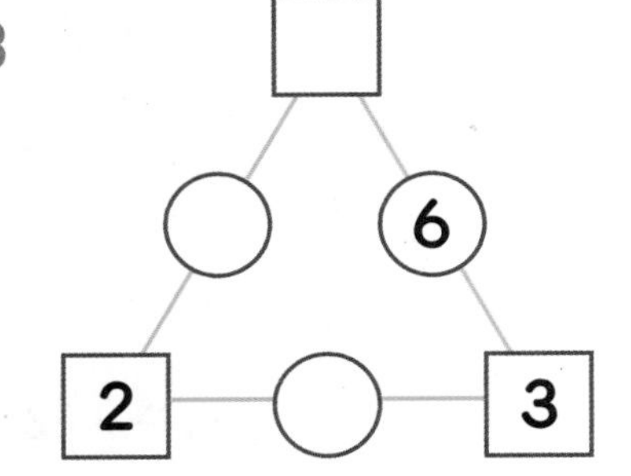

14

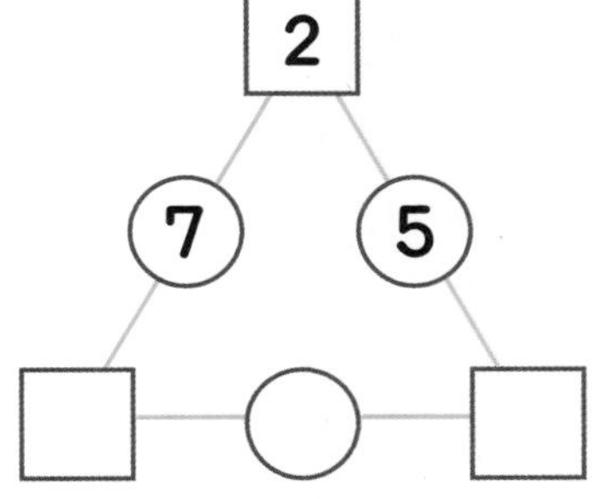

15

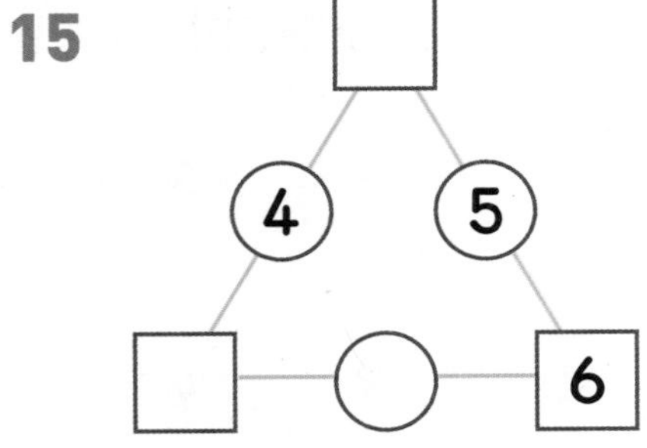

16

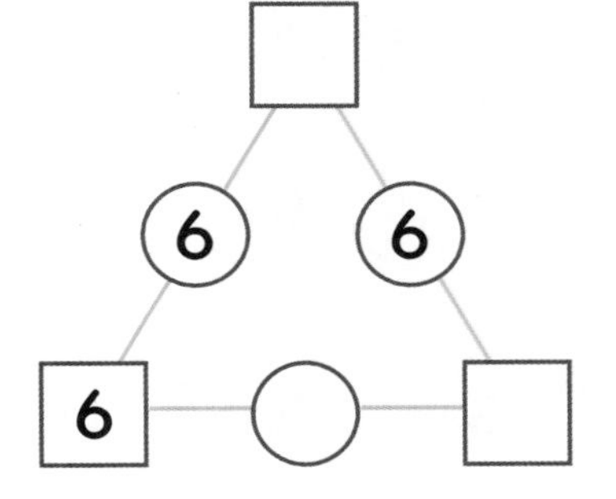

실력 점검

계산을 하시오. (01~09)

01 $8-1$

02 $6-2$

03 $4-3$

04 $5-2$

05 $9-6$

06 $7-5$

07 $\begin{array}{r} 4 \\ -\ 2 \\ \hline \end{array}$

08 $\begin{array}{r} 5 \\ -\ 3 \\ \hline \end{array}$

09 $\begin{array}{r} 6 \\ -\ 5 \\ \hline \end{array}$

□ 안에 알맞은 수를 써넣으시오. (10~21)

10 $\square-1=8$

11 $\square-2=6$

12 $\square-3=5$

13 $7-\square=4$

14 $6-\square=2$

15 $4-\square=0$

16 $\begin{array}{r} 6 \\ -\ \square \\ \hline 4 \end{array}$

17 $\begin{array}{r} 5 \\ -\ \square \\ \hline 2 \end{array}$

18 $\begin{array}{r} 4 \\ -\ \square \\ \hline 1 \end{array}$

19 $\begin{array}{r} \square \\ -\ 5 \\ \hline 4 \end{array}$

20 $\begin{array}{r} \square \\ -\ 2 \\ \hline 5 \end{array}$

21 $\begin{array}{r} \square \\ -\ 4 \\ \hline 4 \end{array}$

식이 성립하도록 ○ 안에 −와 =를 알맞게 써넣으시오. (22~25)

22 8 ○ 6 ○ 2

23 7 ○ 4 ○ 3

24 6 ○ 7 ○ 1

25 5 ○ 9 ○ 4

주어진 조건을 보고 도형 또는 글자가 나타내는 수를 구하시오. (26~28)

26 ♡=8　■−♡=1 → ■=□

27 ●−3=6　●−■=4

→ ●=□　■=□

28 즐−2=5　거−2=즐　거−운=3

→ 즐=□　거=□　운=□

보기 에서 규칙을 찾아 빈칸에 알맞은 수를 써넣으시오. (단, 빈칸에는 한 자리 수만 넣을 수 있습니다.) (29~32)

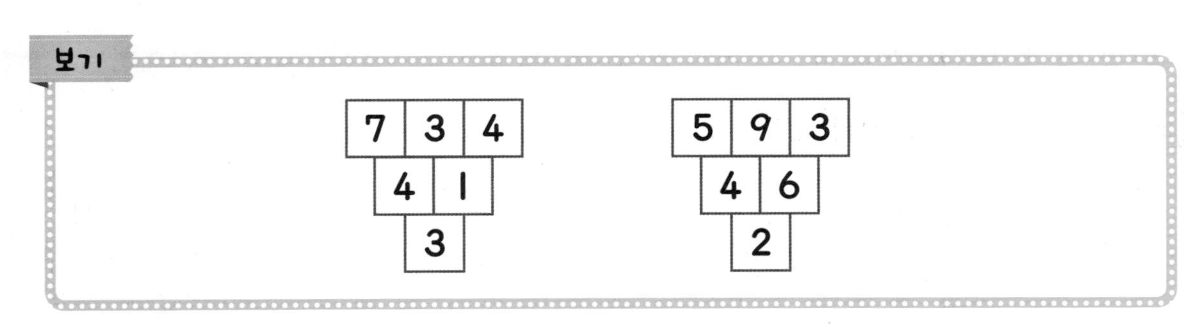

29

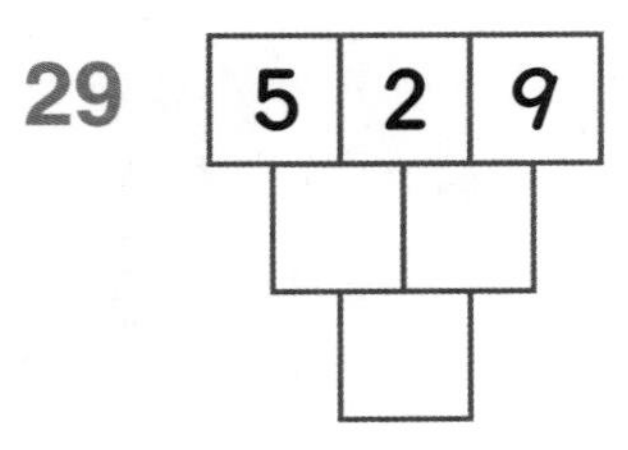

30

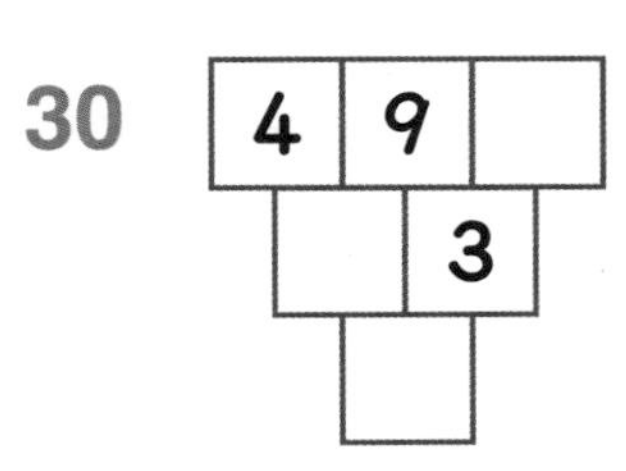

31

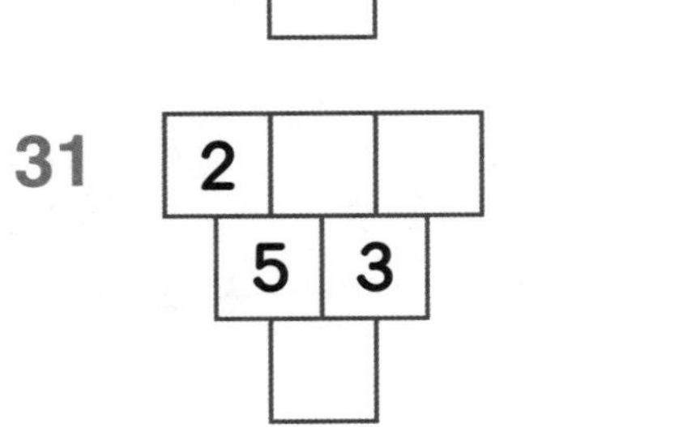

32

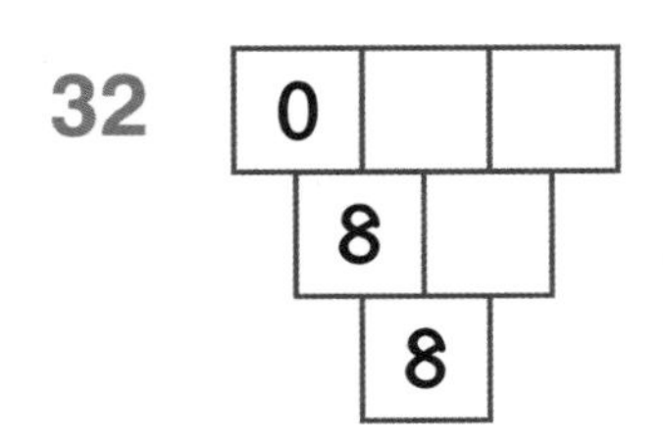

03 받아올림 없는 (몇십)+(몇), (몇십 몇)+(몇)

개념

1. (몇십)+(몇)

→ $30+5=35$ ↔ $5+30=35$

$$\begin{array}{r} 30 \\ +\ \ 5 \\ \hline \end{array} \rightarrow \begin{array}{r} 30 \\ +\ \ 5 \\ \hline 5 \end{array} \rightarrow \begin{array}{r} 30 \\ +\ \ 5 \\ \hline 35 \end{array} \leftrightarrow \begin{array}{r} 5 \\ +30 \\ \hline 35 \end{array}$$

낱개의 수끼리 더하여 낱개의 자리에 쓰고, 10개씩 묶음의 수는 그대로 내려 씁니다. 30+5의 계산 결과는 5+30의 계산 결과와 같습니다.

2. (몇십 몇)+(몇)

→ $23+4=27$ ↔ $4+23=27$

$$\begin{array}{r} 23 \\ +\ \ 4 \\ \hline \end{array} \rightarrow \begin{array}{r} 23 \\ +\ \ 4 \\ \hline 7 \end{array} \rightarrow \begin{array}{r} 23 \\ +\ \ 4 \\ \hline 27 \end{array} \leftrightarrow \begin{array}{r} 4 \\ +23 \\ \hline 27 \end{array}$$

계산을 하시오. (01~09)

01 $\begin{array}{r} 20 \\ +\ \ 4 \\ \hline \end{array}$

02 $\begin{array}{r} 30 \\ +\ \ 6 \\ \hline \end{array}$

03 $\begin{array}{r} 40 \\ +\ \ 8 \\ \hline \end{array}$

04 $\begin{array}{r} 25 \\ +\ \ 4 \\ \hline \end{array}$

05 $\begin{array}{r} 33 \\ +\ \ 3 \\ \hline \end{array}$

06 $\begin{array}{r} 46 \\ +\ \ 3 \\ \hline \end{array}$

07 $\begin{array}{r} 7 \\ +22 \\ \hline \end{array}$

08 $\begin{array}{r} 4 \\ +34 \\ \hline \end{array}$

09 $\begin{array}{r} 8 \\ +41 \\ \hline \end{array}$

계산을 하시오. (10~18)

10 20+5

11 30+7

12 40+3

13 52+3

14 63+5

15 71+8

16 3+35

17 4+44

18 4+53

□ 안에 알맞은 숫자를 써넣으시오. (19~27)

19 $\begin{array}{r} 3\ 0 \\ +\ \square \\ \hline 3\ 6 \end{array}$

20 $\begin{array}{r} 5\ 0 \\ +\ \square \\ \hline 5\ 5 \end{array}$

21 $\begin{array}{r} 4\ 3 \\ +\ \square \\ \hline 4\ 7 \end{array}$

22 $\begin{array}{r} 5\ \square \\ +\ 3 \\ \hline 5\ 8 \end{array}$

23 $\begin{array}{r} 6\ \square \\ +\ 2 \\ \hline 6\ 6 \end{array}$

24 $\begin{array}{r} 7\ \square \\ +\ 4 \\ \hline 7\ 8 \end{array}$

25 $\begin{array}{r} \square\ 4 \\ +\ 2 \\ \hline 5\ \square \end{array}$

26 $\begin{array}{r} \square\ 5 \\ +\ 3 \\ \hline 8\ \square \end{array}$

27 $\begin{array}{r} \square\ 6 \\ +\ 1 \\ \hline 7\ \square \end{array}$

식이 성립하도록 ○ 안에 +, =를 알맞게 써넣으시오. (28~33)

28 23 ○ 4 ○ 27

29 51 ○ 8 ○ 59

30 5 ○ 32 ○ 37

31 4 ○ 63 ○ 67

32 88 ○ 80 ○ 8

33 96 ○ 4 ○ 92

사고력 기르기

Step 1

□ 안에 알맞은 숫자를 써넣으시오. (01~14)

01 □3 + □ = 48

02 □5 + □ = 56

03 □2 + □ = 29

04 □4 + □ = 37

05 □1 + □ = 88

06 □6 + □ = 68

07 4□ + 3 = □7

08 3□ + 2 = □9

09 4□ + 3 = □7

10 6□ + 5 = □7

11 □3 + 2 = 5□

12 □4 + 3 = 2□

13 □1 + 7 = 3□

14 □2 + 5 = 9□

보기 에서 규칙을 찾아 빈 곳에 알맞은 수를 써넣으시오. (15~20)

보기

5	6
2	3

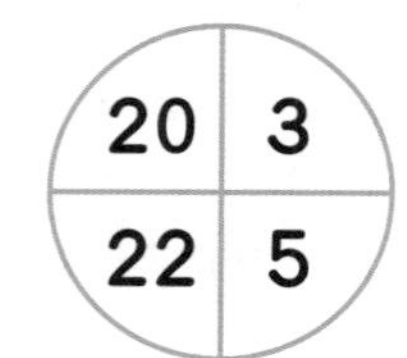

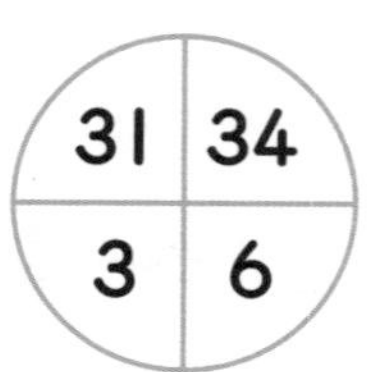

15

1	52
	57

16

42	
45	7

17

33	
2	5

18

4	5
42	

19

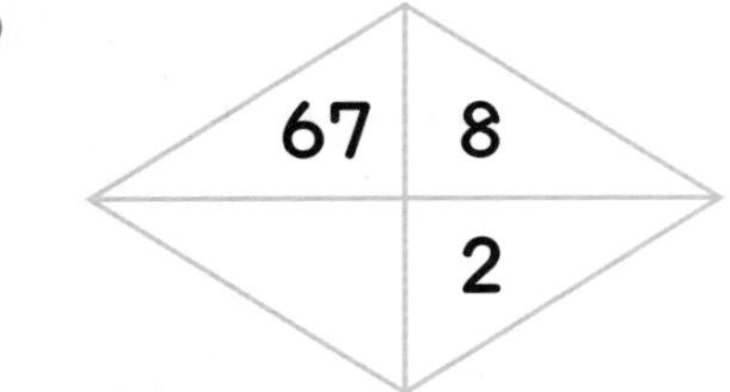

20

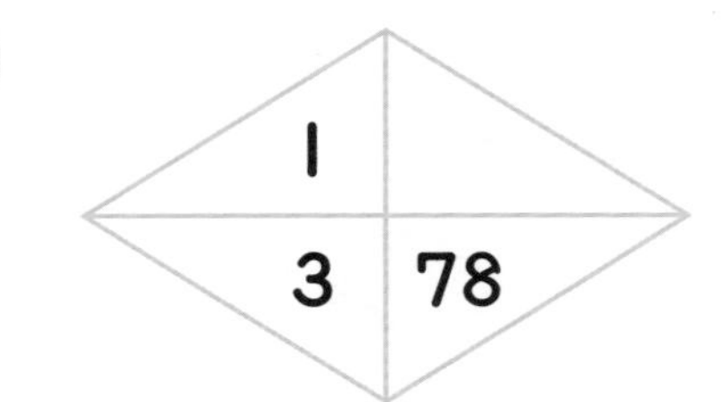

1부터 9까지의 숫자 중 □ 안에 들어갈 수 있는 숫자를 모두 골라 ○표 하시오. (21~24)

21 $30 + \square > 35$

(1 2 3 4 5 6 7 8 9)

22 $\square 5 + 2 > 48$

(1 2 3 4 5 6 7 8 9)

23 $\square 3 + 3 < 55$

(1 2 3 4 5 6 7 8 9)

24 $2\square + 4 < 29$

(1 2 3 4 5 6 7 8 9)

사고력 기르기

Step 2

보기 에서 규칙을 찾아 빈 곳에 알맞은 수를 써넣으시오. (01~04)

보기

10	30
50	60

＋

2	5
8	6

＝

12	35
58	66

01

위	왼쪽	오른쪽	아래
25	6	5	

＋

위	왼쪽	오른쪽	아래
	33		4

＝

위	왼쪽	오른쪽	아래
28		57	46

02

	8
21	

＋

5	51
6	64

＝

39	
	67

03

	53	
	9	

＋

92		
		5

＝

97	56	
	49	77

04

	20	

＋

	32	
22		61
	42	

＝

	37	
28	24	69
	49	

여러 장의 수 카드 중 두 수의 합이 서로 같은 경우를 찾아 보기 와 같이 나타내시오. (05~08)

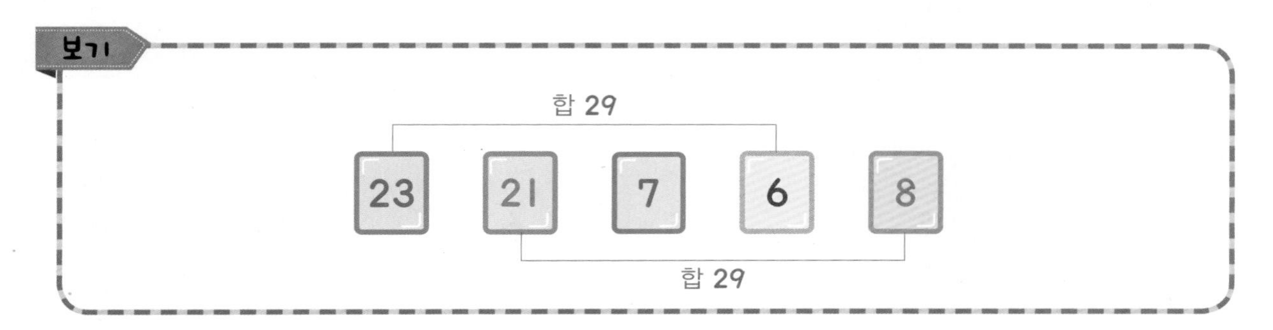

05 35 31 4 5 6 8

06 42 45 2 3 5 7

07 52 53 55 3 5 9

08 64 61 62 5 9 2

실력 점검

계산을 하시오. (01~12)

01 $\begin{array}{r} 2\ 3 \\ +\ \ \ 5 \\ \hline \end{array}$

02 $\begin{array}{r} 3\ 4 \\ +\ \ \ 4 \\ \hline \end{array}$

03 $\begin{array}{r} 4\ 2 \\ +\ \ \ 3 \\ \hline \end{array}$

04 $\begin{array}{r} 7 \\ +\ 3\ 0 \\ \hline \end{array}$

05 $\begin{array}{r} 6 \\ +\ 7\ 0 \\ \hline \end{array}$

06 $\begin{array}{r} 9 \\ +\ 5\ 0 \\ \hline \end{array}$

07 33+2

08 26+3

09 43+3

10 8+51

11 5+21

12 4+82

□ 안에 알맞은 숫자를 써넣으시오. (13~18)

13 $\begin{array}{r} 2\ \ 0 \\ +\ \ \ \ \square \\ \hline 2\ \ 4 \end{array}$

14 $\begin{array}{r} 5\ \ 2 \\ +\ \ \ \ \square \\ \hline 5\ \ 8 \end{array}$

15 $\begin{array}{r} 4\ \ \square \\ +\ \ \ \ 5 \\ \hline 4\ \ 9 \end{array}$

16 $\begin{array}{r} 3\ \ \square \\ +\ \ \ \ 3 \\ \hline 3\ \ 7 \end{array}$

17 $\begin{array}{r} \square\ \ 3 \\ +\ \ \ \ \square \\ \hline 4\ \ 8 \end{array}$

18 $\begin{array}{r} \square\ \ 5 \\ +\ \ \ \ 2 \\ \hline 8\ \ \square \end{array}$

식이 성립하도록 ○ 안에 +, =를 알맞게 써넣으시오. (19~22)

19 41 ○ 8 ○ 49

20 72 ○ 5 ○ 77

21 88 ○ 84 ○ 4

22 93 ○ 2 ○ 91

실력 점검

□ 안에 알맞은 숫자를 써넣으시오. (23~26)

23 □2 + □ = 66

24 □4 + 5 = 8□

25 7□ + 4 = □9

26 8□ + 3 = □6

보기 에서 규칙을 찾아 빈 곳에 알맞은 수를 써넣으시오. (27~28)

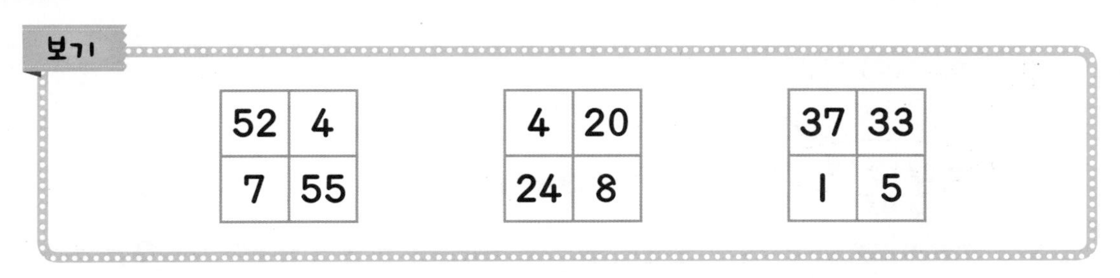

보기

52	4
7	55

4	20
24	8

37	33
1	5

27

22	
5	21

28

	87
82	1

1부터 9까지의 숫자 중 □ 안에 들어갈 수 있는 숫자를 모두 구하시오. (29~30)

29 □3 + 2 > 84

30 5□ + 3 < 59

31 여러 장의 수 카드 중 두 수의 합이 서로 같은 경우를 찾아 보기 와 같이 나타내시오.

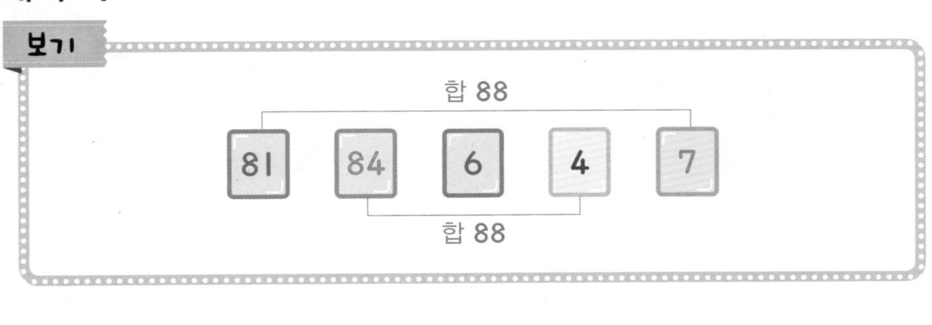

72　75　7　3　4　2

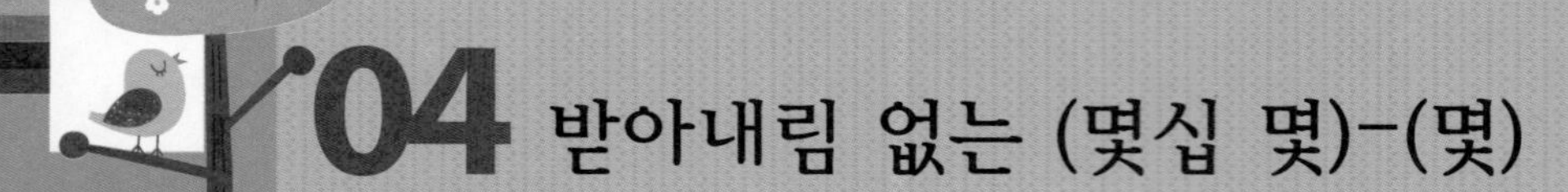

04 받아내림 없는 (몇십 몇)-(몇)

개념

1. 16-4의 계산 방법

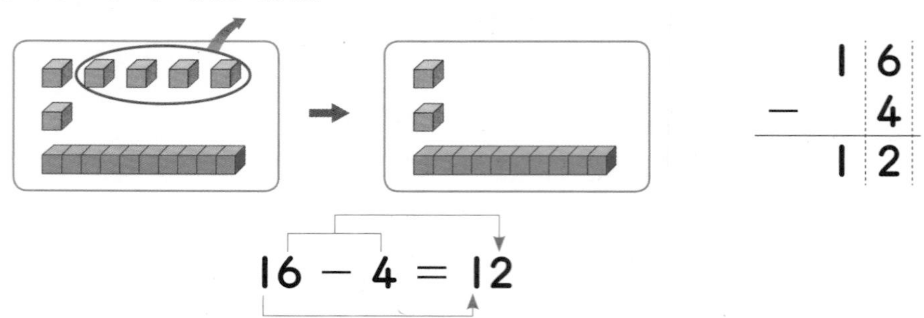

$$\begin{array}{r} 16 \\ -\ \ 4 \\ \hline 12 \end{array}$$

16 − 4 = 12

낱개의 수끼리 빼서 낱개의 자리에 쓰고, 10개씩 묶음의 수는 그대로 내려 씁니다.

2. 38-5의 계산 방법

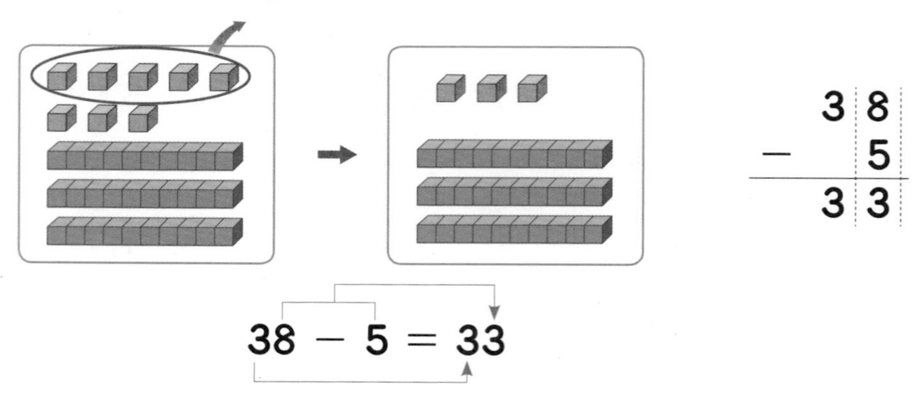

$$\begin{array}{r} 38 \\ -\ \ 5 \\ \hline 33 \end{array}$$

38 − 5 = 33

낱개의 수끼리 빼서 낱개의 자리에 쓰고, 10개씩 묶음의 수는 그대로 내려 씁니다.

계산을 하시오. (01~09)

01 $\begin{array}{r} 13 \\ -\ \ 2 \\ \hline \end{array}$

02 $\begin{array}{r} 15 \\ -\ \ 3 \\ \hline \end{array}$

03 $\begin{array}{r} 19 \\ -\ \ 5 \\ \hline \end{array}$

04 $\begin{array}{r} 26 \\ -\ \ 3 \\ \hline \end{array}$

05 $\begin{array}{r} 35 \\ -\ \ 5 \\ \hline \end{array}$

06 $\begin{array}{r} 48 \\ -\ \ 4 \\ \hline \end{array}$

07 $\begin{array}{r} 56 \\ -\ \ 5 \\ \hline \end{array}$

08 $\begin{array}{r} 69 \\ -\ \ 4 \\ \hline \end{array}$

09 $\begin{array}{r} 77 \\ -\ \ 7 \\ \hline \end{array}$

계산을 하시오. (10~15)

10 $16-6$　　11 $17-5$　　12 $18-3$

13 $58-4$　　14 $89-7$　　15 $96-2$

□ 안에 알맞은 숫자를 써넣으시오. (16~24)

16
$$\begin{array}{rcc} & 1 & 5 \\ - & & \square \\ \hline & 1 & 1 \end{array}$$

17
$$\begin{array}{rcc} & 1 & 8 \\ - & & \square \\ \hline & 1 & 2 \end{array}$$

18
$$\begin{array}{rcc} & 1 & 9 \\ - & & \square \\ \hline & 1 & 4 \end{array}$$

19
$$\begin{array}{rcc} & 3 & \square \\ - & & 4 \\ \hline & 3 & 2 \end{array}$$

20
$$\begin{array}{rcc} & 4 & \square \\ - & & 3 \\ \hline & 4 & 6 \end{array}$$

21
$$\begin{array}{rcc} & 5 & \square \\ - & & 2 \\ \hline & 5 & 5 \end{array}$$

22
$$\begin{array}{rcc} & \square & 7 \\ - & & 5 \\ \hline & 6 & \square \end{array}$$

23
$$\begin{array}{rcc} & \square & 4 \\ - & & 2 \\ \hline & 5 & \square \end{array}$$

24
$$\begin{array}{rcc} & \square & 6 \\ - & & 3 \\ \hline & 8 & \square \end{array}$$

식이 성립하도록 ○ 안에 −, =를 알맞게 써넣으시오. (25~30)

25 15 ○ 2 ○ 13　　26 37 ○ 5 ○ 32

27 66 ○ 3 ○ 63　　28 42 ○ 47 ○ 5

29 55 ○ 59 ○ 4　　30 81 ○ 88 ○ 7

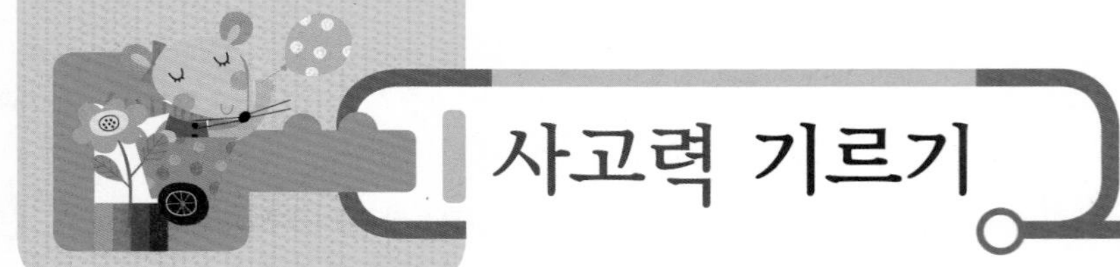

사고력 기르기

Step 1

□ 안에 알맞은 숫자를 써넣으시오. (01~14)

01 □9 − □ = 14

02 □5 − □ = 24

03 □6 − □ = 33

04 □7 − □ = 45

05 □8 − □ = 53

06 □3 − □ = 60

07 4□ − 3 = □1

08 5□ − 2 = □4

09 3□ − 5 = □3

10 6□ − 4 = □2

11 □8 − 6 = 7□

12 □2 − 2 = 8□

13 □5 − 1 = 6□

14 □7 − 4 = 9□

1부터 9까지의 숫자 중 □ 안에 들어갈 수 있는 숫자를 모두 골라 ○표 하시오. (15~18)

15 45 − □ > 41

(1 2 3 4 5 6 7 8 9)

16 □6 − 2 > 53

(1 2 3 4 5 6 7 8 9)

17 □9 − 4 < 38

(1 2 3 4 5 6 7 8 9)

18 3□ − 3 > 32

(1 2 3 4 5 6 7 8 9)

Step 1

보기 와 같이 주어진 뺄셈식을 만족하는 경우는 3가지가 있습니다. 이와 같은 방법으로 여러 가지 뺄셈식을 만들어 보시오.(단, 나>다>0입니다.) (19~21)

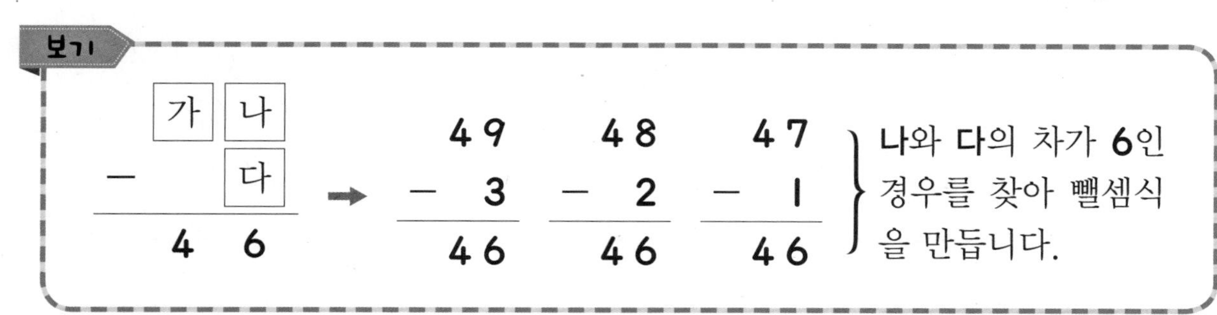

19

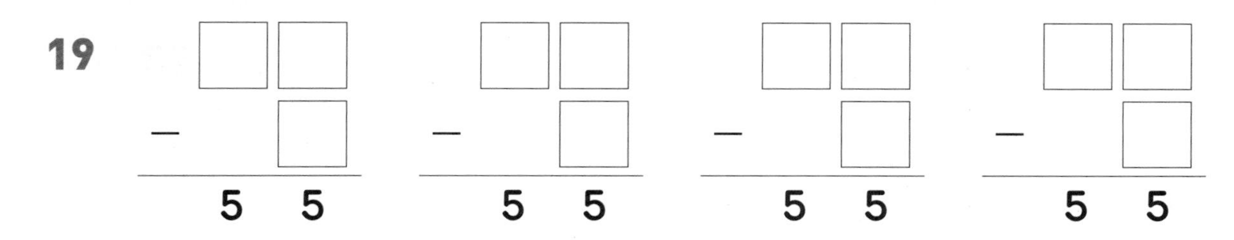

20

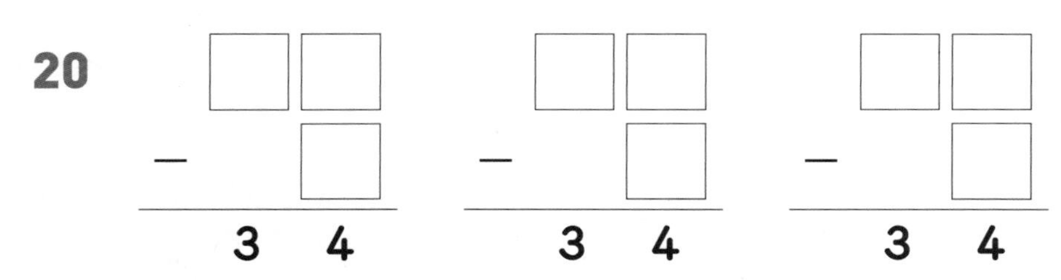

□□ − □ = 34

□□ − □ = 34

21

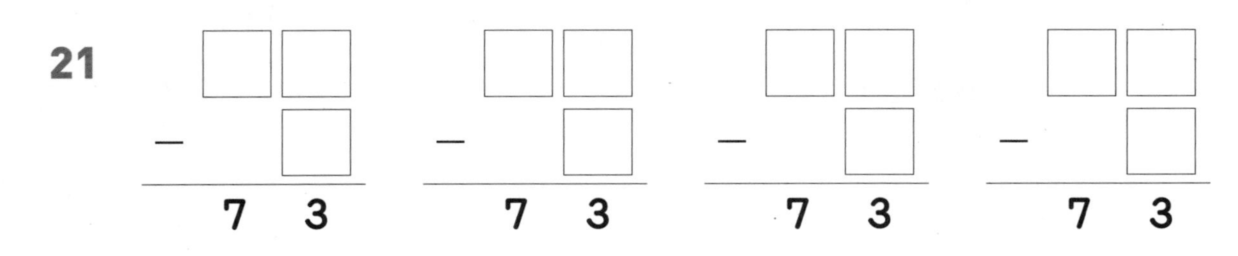

□□ − □ = 73

□□ − □ = 73

사고력 기르기

Step 2

보기 에서 규칙을 찾아 빈 곳에 알맞은 수를 써넣으시오. (01~04)

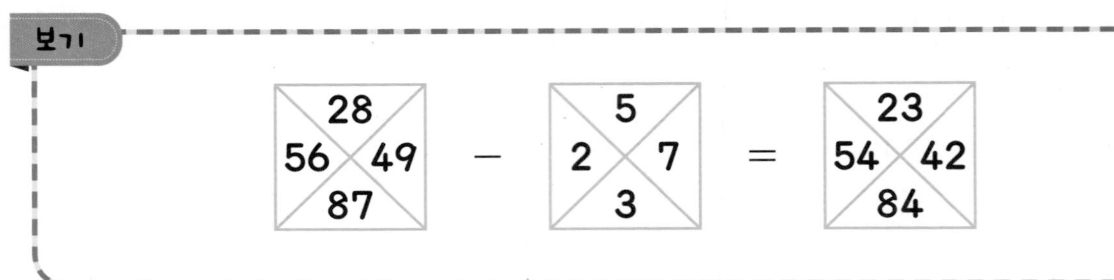

01

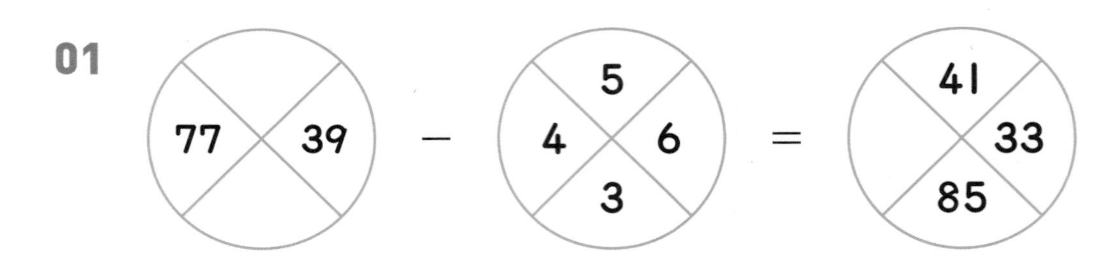

02

15	
36	

−

4	
2	5

=

12	
25	
	62

03

	55
14	
66	29

−

8	
5	

=

40	51
11	
	22

04

	17	
26		35

−

	2	
	3	
	1	

=

22	45	30
	98	

여러 장의 수 카드에 쓰인 수 중 두 수의 차가 서로 같은 경우를 찾아 보기 와 같이 나타내시오. (05~09)

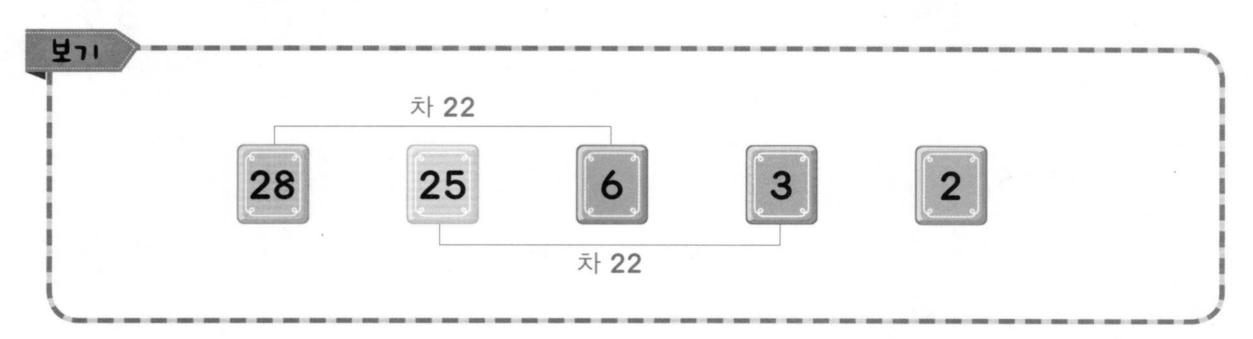

05 36 34 3 2 1

06 49 46 5 4 1

07 57 55 4 3 2

08 88 87 85 6 3

09 99 96 95 6 5

실력 점검

계산을 하시오. (01~12)

01
$$\begin{array}{r} 19 \\ -\ \ 2 \\ \hline \end{array}$$

02
$$\begin{array}{r} 27 \\ -\ \ 6 \\ \hline \end{array}$$

03
$$\begin{array}{r} 39 \\ -\ \ 7 \\ \hline \end{array}$$

04
$$\begin{array}{r} 45 \\ -\ \ 2 \\ \hline \end{array}$$

05
$$\begin{array}{r} 56 \\ -\ \ 4 \\ \hline \end{array}$$

06
$$\begin{array}{r} 88 \\ -\ \ 8 \\ \hline \end{array}$$

07 $23-2$

08 $35-3$

09 $47-4$

10 $55-1$

11 $68-5$

12 $74-3$

□ 안에 알맞은 숫자를 써넣으시오. (13~18)

13
$$\begin{array}{r} 1\ 6 \\ -\ \ \square \\ \hline 1\ 2 \end{array}$$

14
$$\begin{array}{r} 2\ 7 \\ -\ \ \square \\ \hline 2\ 4 \end{array}$$

15
$$\begin{array}{r} 3\ \square \\ -\ \ 5 \\ \hline 3\ 2 \end{array}$$

16
$$\begin{array}{r} 4\ \square \\ -\ \ 3 \\ \hline 4\ 6 \end{array}$$

17
$$\begin{array}{r} \square\ 8 \\ -\ \ 2 \\ \hline 3\ \square \end{array}$$

18
$$\begin{array}{r} \square\ 9 \\ -\ \ 3 \\ \hline 6\ \square \end{array}$$

식이 성립하도록 ○ 안에 −, =를 알맞게 써넣으시오. (19~22)

19 26 ○ 1 ○ 25

20 38 ○ 8 ○ 30

21 47 ○ 49 ○ 2

22 82 ○ 89 ○ 7

실력 점검

□ 안에 알맞은 숫자를 써넣으시오. (23~28)

23 □8 − □ = 32

24 □7 − □ = 11

25 3□ − 2 = □5

26 4□ − 5 = □3

27 □5 − 3 = 6□

28 □9 − 2 = 4□

29 1부터 9까지의 숫자 중 □ 안에 들어갈 수 있는 숫자를 모두 골라 ○표 하시오.

48 − □ > 42 (1 2 3 4 5 6 7 8 9)

30 □ 안에 0이 아닌 숫자를 넣어 서로 다른 여러 가지 뺄셈식을 만들어 보시오. (단, 받아내림 없는 뺄셈식을 만듭니다.)

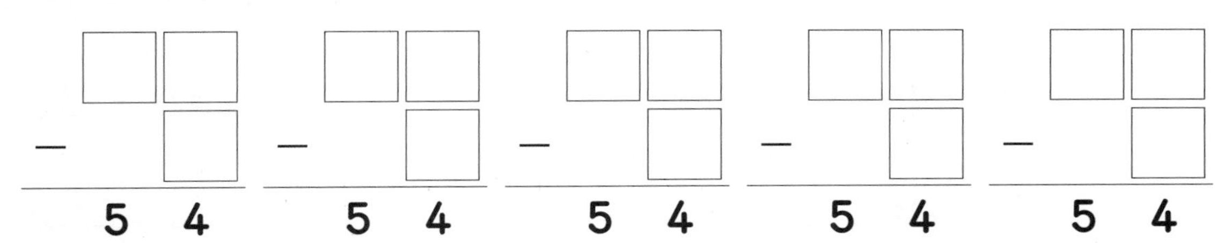

31 보기 에서 규칙을 찾아 빈 곳에 알맞은 수를 써넣으시오.

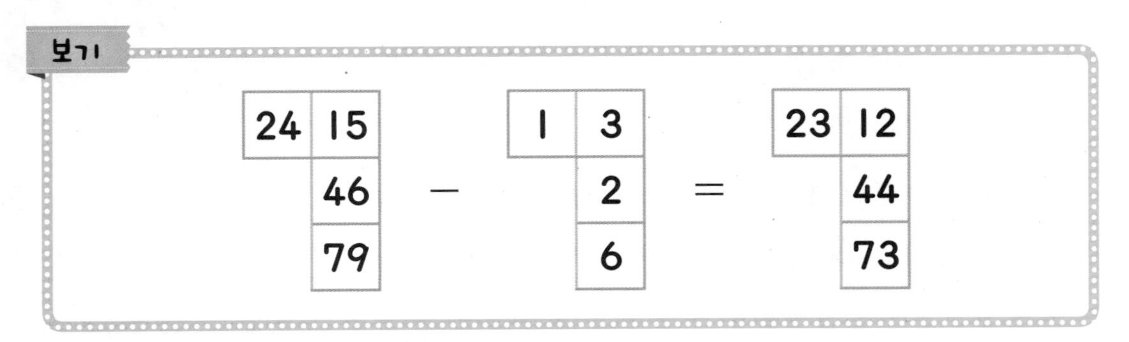

56	□		−	□	5		=	51	32	
	□	48			6	2			83	□

05 받아올림 없는 (몇십)+(몇십), (몇십 몇)+(몇십 몇)

개념

1. 10+20의 계산 방법

$$\begin{array}{r} 10 \\ +\ 20 \\ \hline 30 \end{array}$$

10 + 20 = 30

낱개의 자리에서 0을 쓰고, 10개씩 묶음의 수끼리 더하여 10개씩 묶음의 자리에 씁니다.

2. 22+32의 계산 방법

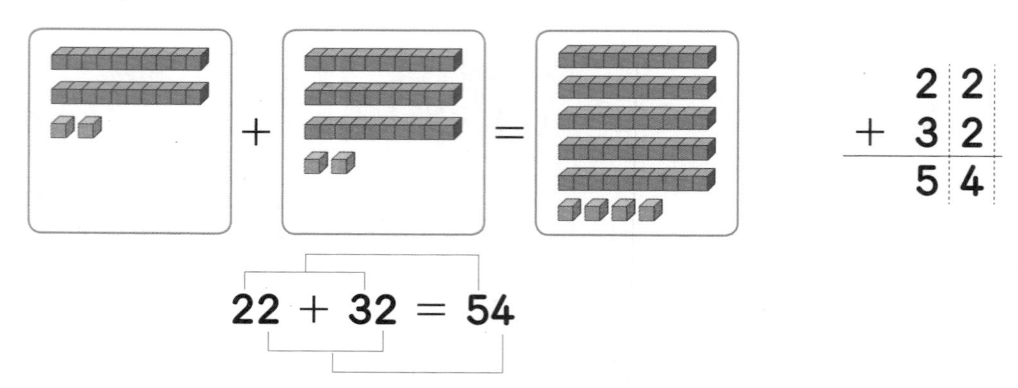

낱개의 수끼리 더해서 낱개의 자리에 쓰고, 10개씩 묶음의 수끼리 더하여 10개씩 묶음의 자리에 씁니다.

계산을 하시오. (01~09)

01
$$\begin{array}{r} 10 \\ +\ 30 \\ \hline \end{array}$$

02
$$\begin{array}{r} 20 \\ +\ 40 \\ \hline \end{array}$$

03
$$\begin{array}{r} 60 \\ +\ 30 \\ \hline \end{array}$$

04
$$\begin{array}{r} 40 \\ +\ 30 \\ \hline \end{array}$$

05
$$\begin{array}{r} 15 \\ +\ 13 \\ \hline \end{array}$$

06
$$\begin{array}{r} 24 \\ +\ 12 \\ \hline \end{array}$$

07
$$\begin{array}{r} 32 \\ +\ 45 \\ \hline \end{array}$$

08
$$\begin{array}{r} 42 \\ +\ 55 \\ \hline \end{array}$$

09
$$\begin{array}{r} 66 \\ +\ 33 \\ \hline \end{array}$$

계산을 하시오. (10~17)

10 $20+30$

11 $70+20$

12 $13+15$

13 $11+56$

14 $21+38$

15 $34+43$

16 $42+56$

17 $65+13$

□ 안에 알맞은 숫자를 써넣으시오. (18~23)

18

	□	4
+	3	□
	5	5

19

	□	2
+	2	□
	6	6

20

	□	3
+	4	□
	9	7

21

	5	□
+	□	3
	7	3

22

	1	□
+	□	5
	4	8

23

	2	□
+	□	4
	3	9

24 석기는 $34+45$의 계산을 다음과 같이 3가지 방법으로 했습니다. $62+23$을 석기의 방법과 같은 방법으로 계산해 보시오.

[방법 1] $34+45=30+40+4+5=70+9=79$
[방법 2] $34+45=34+40+5=74+5=79$
[방법 3] $34+45=30+45+4=75+4=79$

[방법 1] $62+23=$□$+$□$+$□$+$□$=$□$+$□$=$□

[방법 2] $62+23=$□$+$□$+$□$=$□$+$□$=$□

[방법 3] $62+23=$□$+$□$+$□$=$□$+$□$=$□

사고력 기르기

보기 를 참고하여 빈 곳에 알맞은 수를 써넣으시오. (01~08)

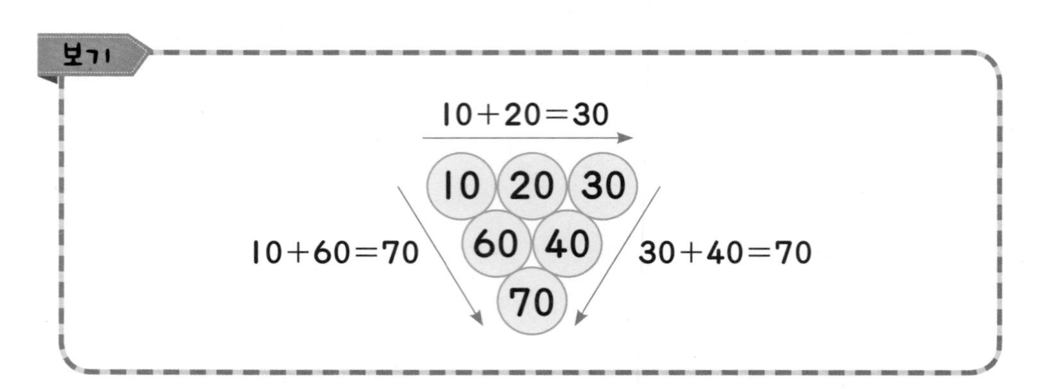

01

12 31 ( )
( ) ( )
57

02

( ) ( ) 55
64 42
( )

03

43 22 ( )
( ) 31
( )

04

( ) ( ) ( )
54 41
79

05

( ) ( ) 56
63 ( )
96

06

( ) 34 ( )
57 ( )
68

07

24 ( ) 57
64 ( )
( )

08

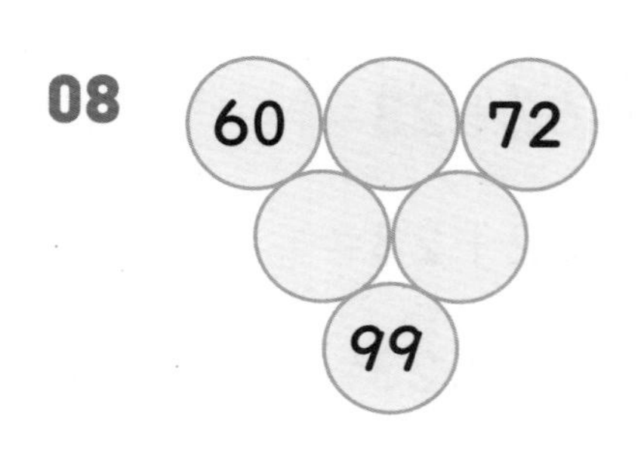

주어진 5장의 수 카드 중 서로 다른 3장을 뽑아 보기 와 같은 여러 가지 덧셈식을 만들 수 있습니다. 물음에 답하시오. (단, 11+23은 23+11과 같은 식으로 생각합니다.) (09~10)

보기

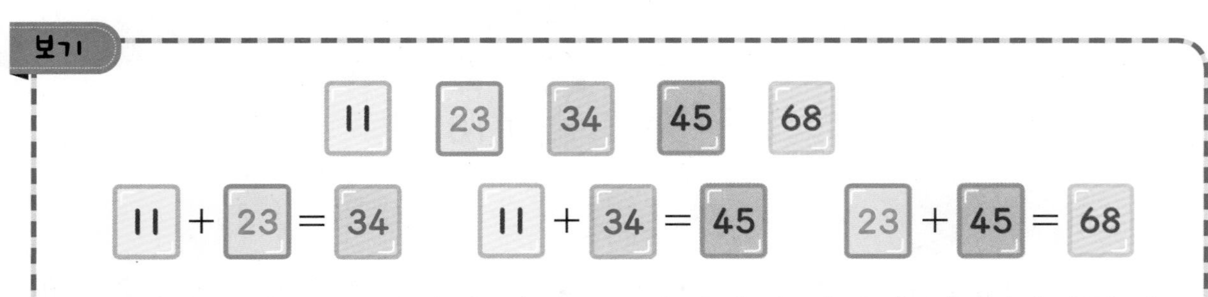

10개씩 묶음의 수끼리의 합 또는 낱개의 수끼리의 합을 생각하여 수 카드 3장을 뽑을 수 있습니다. 예를 들어 수 카드 11과 23의 10개씩 묶음의 수의 합은 1+2=3이므로 나머지 한 장의 카드는 10개씩 묶음의 수가 3인 카드를 뽑습니다.

09 주어진 6장의 수 카드 중 서로 다른 3장을 뽑아 여러 가지 덧셈식을 만들어 보시오.

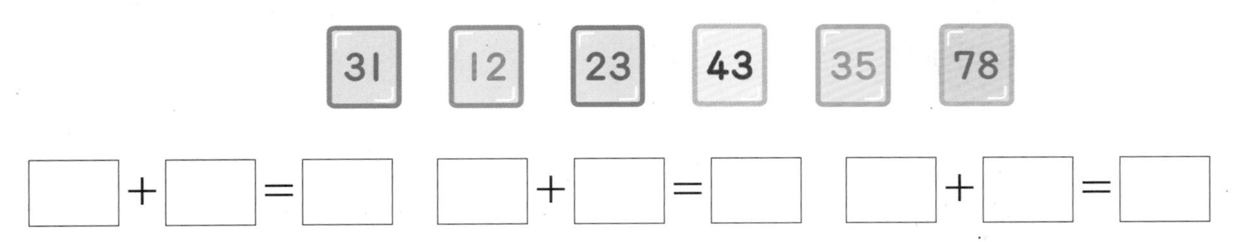

10 주어진 7장의 수 카드 중 서로 다른 3장을 뽑아 여러 가지 덧셈식을 만들어 보시오.

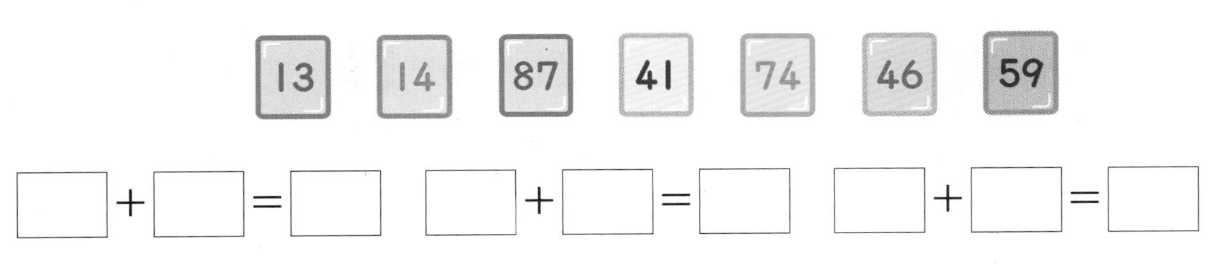

01 다음 식에서 ♥는 얼마인지 구하시오. (단, 같은 모양은 같은 수를 나타냅니다.)

> 13+■=36
> ■+▲=74
> ▲+18=♥

02 다음 식에서 ■는 얼마인지 구하시오. (단, 같은 모양은 같은 수를 나타냅니다.)

> ♥+♥=66
> ▲+♥=57
> ■+■=▲

03 다음 식에서 ▲는 얼마인지 구하시오. (단, 같은 모양은 같은 수를 나타냅니다.)

> 43+32=■
> 13+■=♥
> ▲+▲=♥

04 다음 식에서 ●는 얼마인지 구하시오. (단, 같은 모양은 같은 수를 나타냅니다.)

> ▲+26=■
> ▲+▲=44
> ■+51=●

05 다음 식에서 ♡가 될 수 있는 숫자를 모두 구하시오. (단, ♡는 0이 아닙니다.)

♡♡ + 2♡ < 60

06 다음 식에서 □가 될 수 있는 숫자를 모두 구하시오. (단, □는 0이 아닙니다.)

□3 + □□ < 80

07 다음 식에서 △가 될 수 있는 숫자를 모두 구하시오. (단, △는 0이 아닙니다.)

4△ + △△ < 89

08 다음 식에서 ○가 될 수 있는 숫자를 모두 구하시오. (단, ○는 0이 아닙니다.)

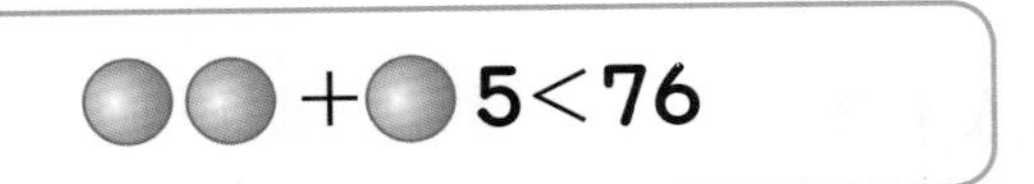

실력 점검

계산을 하시오. (01~08)

01 $\begin{array}{r} 20 \\ +\ 60 \\ \hline \end{array}$

02 $\begin{array}{r} 35 \\ +\ 24 \\ \hline \end{array}$

03 $\begin{array}{r} 41 \\ +\ 36 \\ \hline \end{array}$

04 $\begin{array}{r} 55 \\ +\ 23 \\ \hline \end{array}$

05 $\begin{array}{r} 62 \\ +\ 36 \\ \hline \end{array}$

06 $\begin{array}{r} 74 \\ +\ 14 \\ \hline \end{array}$

07 $43+35$

08 $28+51$

□ 안에 알맞은 숫자를 써넣으시오. (09~14)

09 $\begin{array}{r} \square\ 3 \\ +\ 5\ \square \\ \hline 8\ 8 \end{array}$

10 $\begin{array}{r} \square\ 5 \\ +\ 3\ \square \\ \hline 5\ 7 \end{array}$

11 $\begin{array}{r} 2\ \square \\ +\ \square\ 4 \\ \hline 6\ 9 \end{array}$

12 $\begin{array}{r} 4\ \square \\ +\ \square\ 2 \\ \hline 9\ 9 \end{array}$

13 $\begin{array}{r} 2\ 3 \\ +\ \square\ \square \\ \hline 7\ 7 \end{array}$

14 $\begin{array}{r} \square\ 5 \\ +\ 4\ 3 \\ \hline 8\ \square \end{array}$

15 예슬이는 43+55의 계산을 다음과 같이 3가지 방법으로 했습니다. 24+35를 예슬이의 방법과 같은 방법으로 계산해 보시오.

[방법 1] $43+55=40+50+3+5=90+8=98$

[방법 2] $43+55=43+50+5=93+5=98$

[방법 3] $43+55=40+55+3=95+3=98$

[방법 1] $24+35=\square+\square+\square+\square=\square+\square=\square$

[방법 2] $24+35=\square+\square+\square=\square+\square=\square$

[방법 3] $24+35=\square+\square+\square=\square+\square=\square$

16 보기 를 참고하여 빈 곳에 알맞은 수를 써넣으시오.

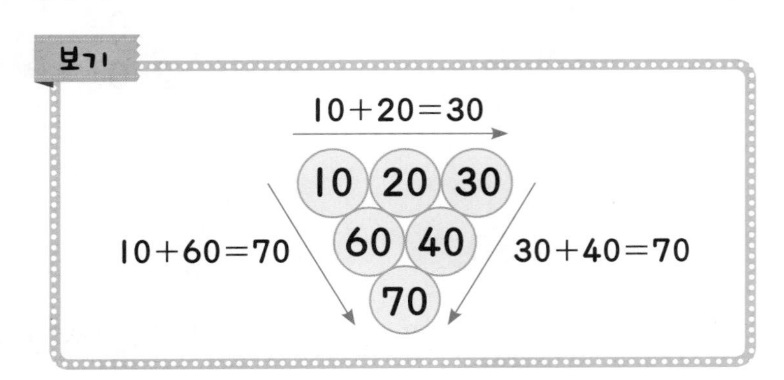

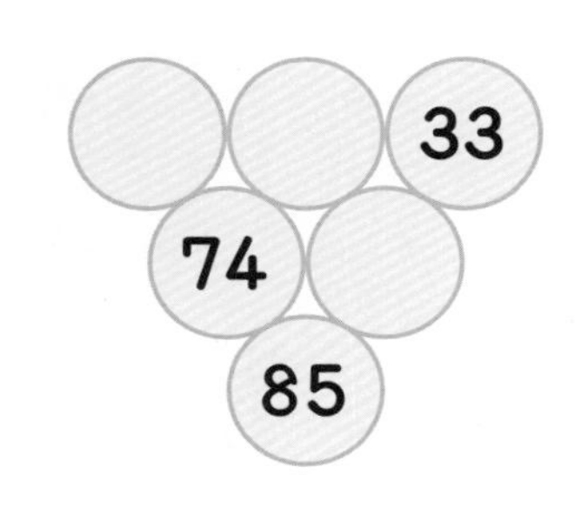

17 주어진 5장의 수 카드 중 서로 다른 3장을 뽑아 여러 가지 덧셈식을 만들어 보시오.

□+□=□ □+□=□ □+□=□

18 다음 식에서 ▲는 얼마인지 구하시오. (단, 같은 모양은 같은 수를 나타냅니다.)

♥+♥=84
♥+■=66
■+■=▲

19 다음 식에서 ■가 될 수 있는 숫자를 모두 구하시오. (단, ■는 0이 아닙니다.)

1■+■2<68

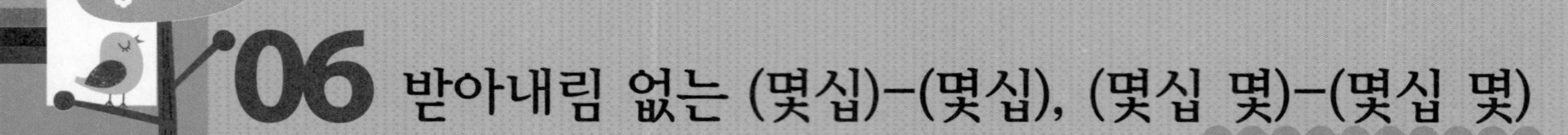

06 받아내림 없는 (몇십)−(몇십), (몇십 몇)−(몇십 몇)

개념

1. 50−20의 계산 방법

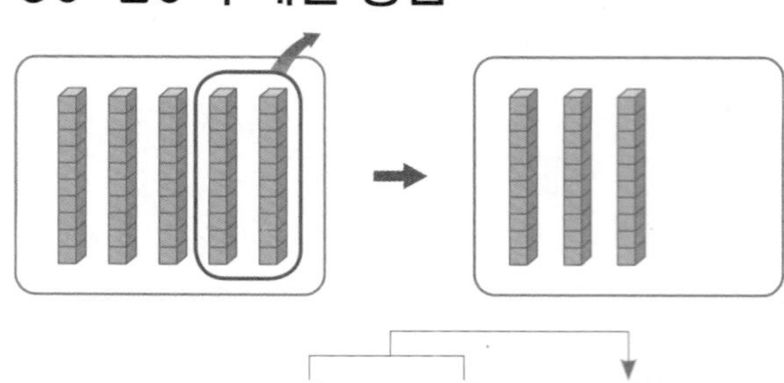

$$\begin{array}{r} 50 \\ -\ 20 \\ \hline 30 \end{array}$$

$50 - 20 = 30$

10개씩 묶음의 수끼리 빼서 10개씩 묶음의 자리에 쓰고, 낱개의 자리에는 0을 씁니다.

2. 36−14의 계산 방법

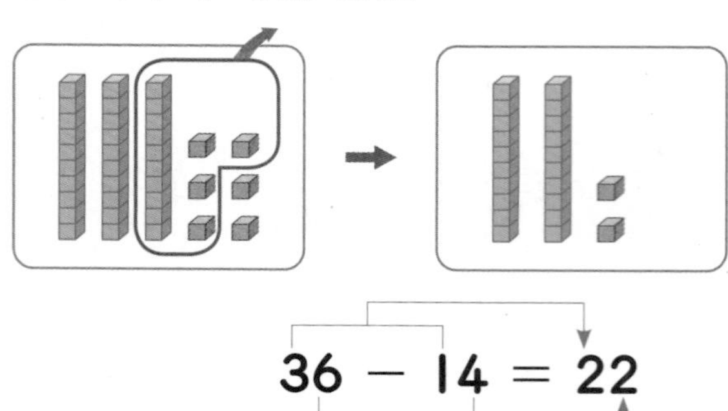

$$\begin{array}{r} 36 \\ -\ 14 \\ \hline 22 \end{array}$$

$36 - 14 = 22$

낱개의 수끼리 빼서 낱개의 자리에 쓰고, 10개씩 묶음의 수끼리 빼서 10개씩 묶음의 자리에 씁니다.

계산을 하시오. (01~06)

01 $\begin{array}{r} 60 \\ -\ 40 \\ \hline \end{array}$

02 $\begin{array}{r} 90 \\ -\ 30 \\ \hline \end{array}$

03 $\begin{array}{r} 46 \\ -\ 23 \\ \hline \end{array}$

04 $\begin{array}{r} 38 \\ -\ 16 \\ \hline \end{array}$

05 $\begin{array}{r} 69 \\ -\ 25 \\ \hline \end{array}$

06 $\begin{array}{r} 77 \\ -\ 43 \\ \hline \end{array}$

계산을 하시오. (07~15)

07 $56-20$

08 $37-25$

09 $85-53$

10 $25-11$

11 $36-12$

12 $47-25$

13 $59-32$

14 $68-43$

15 $75-32$

□ 안에 알맞은 숫자를 써넣으시오. (16~24)

16
$$\begin{array}{rcc} & 2 & 9 \\ - & 1 & \square \\ \hline & \square & 5 \end{array}$$

17
$$\begin{array}{rcc} & 9 & 0 \\ - & 2 & \square \\ \hline & \square & 0 \end{array}$$

18
$$\begin{array}{rcc} & 8 & 5 \\ - & 4 & \square \\ \hline & \square & 5 \end{array}$$

19
$$\begin{array}{rcc} & 3 & \square \\ - & 2 & 4 \\ \hline & \square & 4 \end{array}$$

20
$$\begin{array}{rcc} & 4 & \square \\ - & 1 & 2 \\ \hline & \square & 7 \end{array}$$

21
$$\begin{array}{rcc} & 5 & \square \\ - & 3 & 3 \\ \hline & \square & 1 \end{array}$$

22
$$\begin{array}{rcc} & \square & 8 \\ - & 3 & 5 \\ \hline & 4 & \square \end{array}$$

23
$$\begin{array}{rcc} & \square & 5 \\ - & 4 & 2 \\ \hline & 5 & \square \end{array}$$

24
$$\begin{array}{rcc} & \square & 8 \\ - & 2 & 8 \\ \hline & 6 & \square \end{array}$$

사고력 기르기

Step 1

보기 와 같이 주어진 뺄셈식을 만족하는 경우는 3가지가 있습니다. 이와 같은 방법으로 여러 가지 뺄셈식을 만들어 보시오. (01~04)

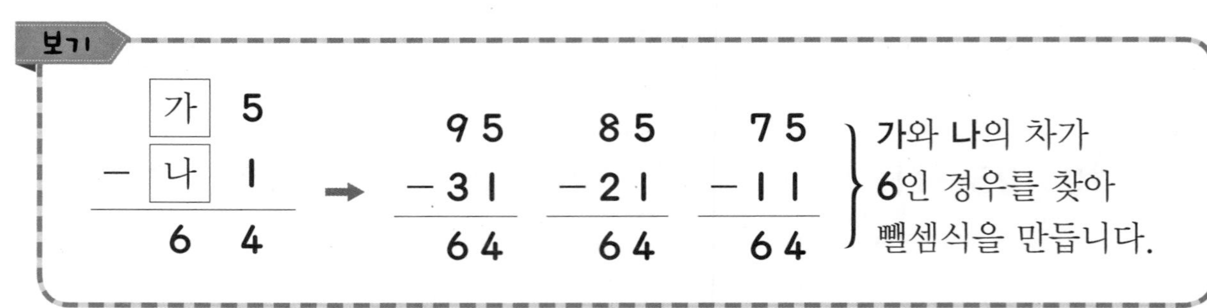

01

$\square 6 - \square 3 = 73$ (2개)

02

$\square 4 - \square 2 = 62$ (3개)

03

$\square 7 - \square 3 = 54$ (4개)

04

$\square 5 - \square 4 = 41$ (5개)

보기 와 같이 주어진 뺄셈식을 만족하는 경우는 3가지가 있습니다. 이와 같은 방법으로 여러 가지 뺄셈식을 만들어 보시오. (05~07)

보기

$$\begin{array}{r} 5\ \boxed{가} \\ -\ 2\ \boxed{나} \\ \hline 3\ \ 7 \end{array} \rightarrow \begin{array}{r} 59 \\ -22 \\ \hline 37 \end{array} \quad \begin{array}{r} 58 \\ -21 \\ \hline 37 \end{array} \quad \begin{array}{r} 57 \\ -20 \\ \hline 37 \end{array}$$

가와 나의 차가 7인 경우를 찾습니다.

05

$$\begin{array}{r} 8\ \square \\ -\ 3\ \square \\ \hline 5\ \ 6 \end{array} \quad \begin{array}{r} 8\ \square \\ -\ 3\ \square \\ \hline 5\ \ 6 \end{array} \quad \begin{array}{r} 8\ \square \\ -\ 3\ \square \\ \hline 5\ \ 6 \end{array} \quad \begin{array}{r} 8\ \square \\ -\ 3\ \square \\ \hline 5\ \ 6 \end{array}$$

06

$$\begin{array}{r} 6\ \square \\ -\ 5\ \square \\ \hline 1\ \ 4 \end{array} \quad \begin{array}{r} 6\ \square \\ -\ 5\ \square \\ \hline 1\ \ 4 \end{array} \quad \begin{array}{r} 6\ \square \\ -\ 5\ \square \\ \hline 1\ \ 4 \end{array}$$

$$\begin{array}{r} 6\ \square \\ -\ 5\ \square \\ \hline 1\ \ 4 \end{array} \quad \begin{array}{r} 6\ \square \\ -\ 5\ \square \\ \hline 1\ \ 4 \end{array} \quad \begin{array}{r} 6\ \square \\ -\ 5\ \square \\ \hline 1\ \ 4 \end{array}$$

07

$$\begin{array}{r} 5\ \square \\ -\ 3\ \square \\ \hline 2\ \ 3 \end{array} \quad \begin{array}{r} 5\ \square \\ -\ 3\ \square \\ \hline 2\ \ 3 \end{array} \quad \begin{array}{r} 5\ \square \\ -\ 3\ \square \\ \hline 2\ \ 3 \end{array} \quad \begin{array}{r} 5\ \square \\ -\ 3\ \square \\ \hline 2\ \ 3 \end{array}$$

$$\begin{array}{r} 5\ \square \\ -\ 3\ \square \\ \hline 2\ \ 3 \end{array} \quad \begin{array}{r} 5\ \square \\ -\ 3\ \square \\ \hline 2\ \ 3 \end{array} \quad \begin{array}{r} 5\ \square \\ -\ 3\ \square \\ \hline 2\ \ 3 \end{array}$$

사고력 기르기

Step 2

가 > 나 > 다 > 라 일 때 보기 와 같이 주어진 뺄셈식을 만족하는 경우는 3가지가 있습니다. 이와 같은 방법으로 여러 가지 뺄셈식을 만들어 보시오. (01~02)

보기

$$\begin{array}{r} 가\ 나 \\ -\ 다\ 라 \\ \hline 3\ \ 7 \end{array} \rightarrow \begin{array}{r} 98 \\ -61 \\ \hline 37 \end{array} \quad \begin{array}{r} 97 \\ -60 \\ \hline 37 \end{array} \quad \begin{array}{r} 87 \\ -50 \\ \hline 37 \end{array}$$

10개씩 묶음의 수끼리의 차가 3인 경우와 낱개의 수끼리의 차가 7인 경우를 생각하여 뺄셈식을 만듭니다.

01

$$\begin{array}{r} \square\square \\ -\ \square\square \\ \hline 3\ 6 \end{array} \quad \begin{array}{r} \square\square \\ -\ \square\square \\ \hline 3\ 6 \end{array} \quad \begin{array}{r} \square\square \\ -\ \square\square \\ \hline 3\ 6 \end{array}$$

$$\begin{array}{r} \square\square \\ -\ \square\square \\ \hline 3\ 6 \end{array} \quad \begin{array}{r} \square\square \\ -\ \square\square \\ \hline 3\ 6 \end{array}$$

02

$$\begin{array}{r} \square\square \\ -\ \square\square \\ \hline 4\ 5 \end{array} \quad \begin{array}{r} \square\square \\ -\ \square\square \\ \hline 4\ 5 \end{array} \quad \begin{array}{r} \square\square \\ -\ \square\square \\ \hline 4\ 5 \end{array}$$

$$\begin{array}{r} \square\square \\ -\ \square\square \\ \hline 4\ 5 \end{array} \quad \begin{array}{r} \square\square \\ -\ \square\square \\ \hline 4\ 5 \end{array} \quad \begin{array}{r} \square\square \\ -\ \square\square \\ \hline 4\ 5 \end{array}$$

$$\begin{array}{r} \square\square \\ -\ \square\square \\ \hline 4\ 5 \end{array} \quad \begin{array}{r} \square\square \\ -\ \square\square \\ \hline 4\ 5 \end{array} \quad \begin{array}{r} \square\square \\ -\ \square\square \\ \hline 4\ 5 \end{array}$$

주어진 조건을 보고 □ 안에 알맞은 수를 써넣으시오. (03~07)

03

88－▲－▲＝66　■－▲＝23　♥－■＝42

♥－▲＝□

04

47－■－■＝21　♥－35＝■　▲－♥＝20

▲－■＝□

05

99－●－●＝31　●－▲－▲＝10　■－34＝▲

■－●＝□

06

■－▲－▲＝22　96－■＝12　♥－■＝15

♥－▲＝□

07

♥－■－■＝14　♥－45＝33　▲－♥＝11

▲－■＝□

실력 점검

계산을 하시오. (01~12)

01
$$\begin{array}{r} 80 \\ -\ 60 \\ \hline \end{array}$$

02
$$\begin{array}{r} 56 \\ -\ 13 \\ \hline \end{array}$$

03
$$\begin{array}{r} 39 \\ -\ 24 \\ \hline \end{array}$$

04
$$\begin{array}{r} 64 \\ -\ 41 \\ \hline \end{array}$$

05
$$\begin{array}{r} 78 \\ -\ 33 \\ \hline \end{array}$$

06
$$\begin{array}{r} 96 \\ -\ 32 \\ \hline \end{array}$$

07 $35-25$

08 $28-12$

09 $44-11$

10 $87-24$

11 $72-50$

12 $94-31$

□ 안에 알맞은 숫자를 써넣으시오. (13~18)

13
$$\begin{array}{r} 4\ \square \\ -\ 2\ 7 \\ \hline \square\ 2 \end{array}$$

14
$$\begin{array}{r} 5\ \square \\ -\ 1\ 5 \\ \hline \square\ 3 \end{array}$$

15
$$\begin{array}{r} 7\ \square \\ -\ 5\ 2 \\ \hline \square\ 7 \end{array}$$

16
$$\begin{array}{r} 4\ 8 \\ -\ 2\ \square \\ \hline \square\ 4 \end{array}$$

17
$$\begin{array}{r} 6\ 7 \\ -\ 1\ \square \\ \hline \square\ 2 \end{array}$$

18
$$\begin{array}{r} 8\ 8 \\ -\ 5\ \square \\ \hline \square\ 5 \end{array}$$

실력 점검

빈칸에 숫자를 써넣어 여러 가지 뺄셈식을 만드시오. (19~20)

19

$$\begin{array}{rcc} & \square & 8 \\ - & \square & 5 \\ \hline & 6 & 3 \end{array} \qquad \begin{array}{rcc} & \square & 8 \\ - & \square & 5 \\ \hline & 6 & 3 \end{array} \qquad \begin{array}{rcc} & \square & 8 \\ - & \square & 5 \\ \hline & 6 & 3 \end{array}$$

20

$$\begin{array}{rcc} & 9 & \square \\ - & 6 & \square \\ \hline & 3 & 7 \end{array} \qquad \begin{array}{rcc} & 9 & \square \\ - & 6 & \square \\ \hline & 3 & 7 \end{array} \qquad \begin{array}{rcc} & 9 & \square \\ - & 6 & \square \\ \hline & 3 & 7 \end{array}$$

[가]>[나]>[다]>[라]일 때 빈칸에 숫자를 써넣어 여러 가지 뺄셈식을 만드시오. (21~22)

21

$$\begin{array}{rcc} & 가 & 나 \\ - & 다 & 라 \\ \hline & 7 & 7 \end{array} \rightarrow \begin{array}{rcc} & \square & \square \\ - & \square & \square \\ \hline & 7 & 7 \end{array} \qquad \begin{array}{rcc} & \square & \square \\ - & \square & \square \\ \hline & 7 & 7 \end{array} \qquad \begin{array}{rcc} & \square & \square \\ - & \square & \square \\ \hline & 7 & 7 \end{array}$$

22

$$\begin{array}{rcc} & 가 & 나 \\ - & 다 & 라 \\ \hline & 5 & 6 \end{array} \rightarrow \begin{array}{rcc} & \square & \square \\ - & \square & \square \\ \hline & 5 & 6 \end{array} \qquad \begin{array}{rcc} & \square & \square \\ - & \square & \square \\ \hline & 5 & 6 \end{array} \qquad \begin{array}{rcc} & \square & \square \\ - & \square & \square \\ \hline & 5 & 6 \end{array}$$

$$\begin{array}{rcc} & \square & \square \\ - & \square & \square \\ \hline & 5 & 6 \end{array} \qquad \begin{array}{rcc} & \square & \square \\ - & \square & \square \\ \hline & 5 & 6 \end{array} \qquad \begin{array}{rcc} & \square & \square \\ - & \square & \square \\ \hline & 5 & 6 \end{array}$$

23 주어진 조건을 보고 다음을 구하시오.

64−▲−▲=20   ■−▲=13   ♥−■=44

♥−▲=□

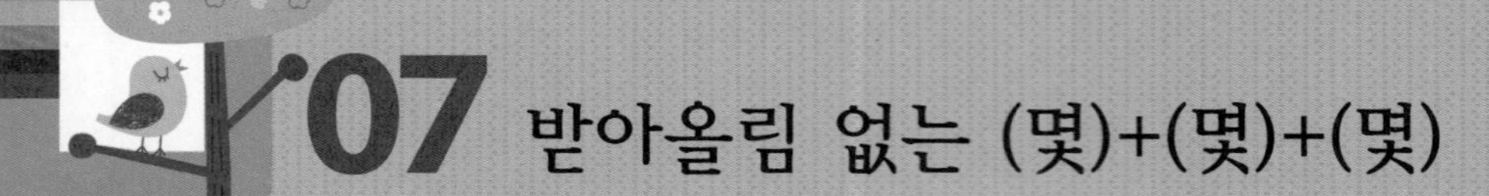

07 받아올림 없는 (몇)+(몇)+(몇)

개념

3+2+4의 계산 방법

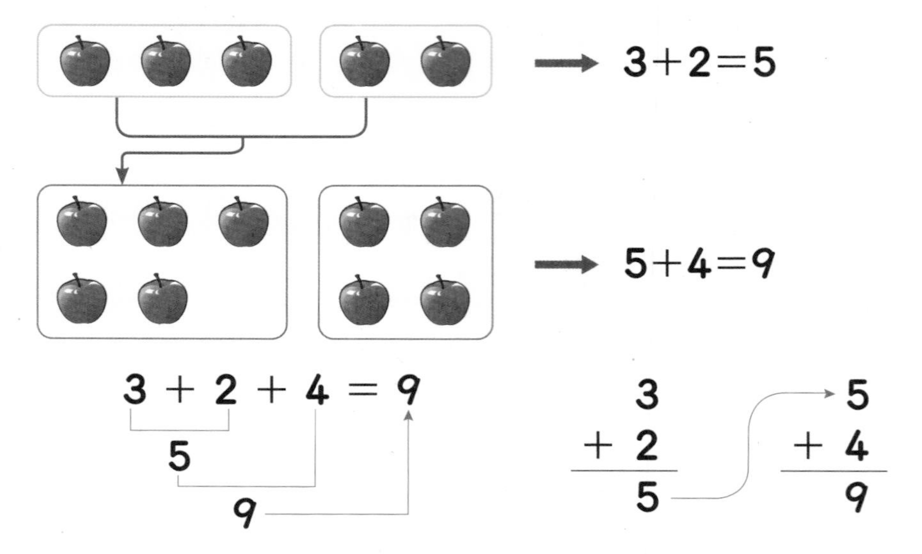

계산을 하시오. (01~03)

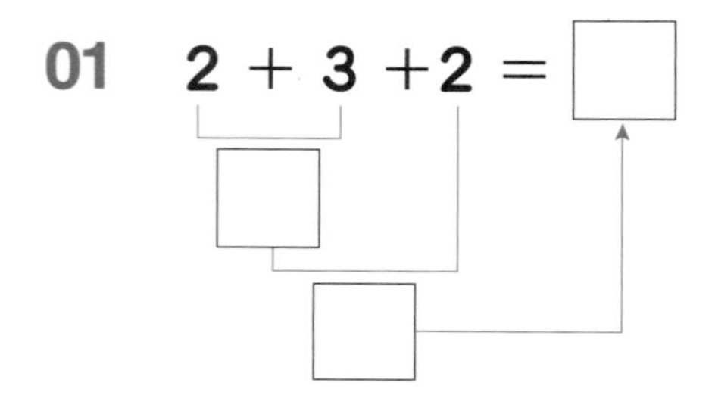

01 $2 + 3 + 2 = \square$

$$\begin{array}{r} 2 \\ +\ 3 \\ \hline \square \end{array} \quad \begin{array}{r} \square \\ +\ 2 \\ \hline \square \end{array}$$

02 $1 + 5 + 3 = \square$

$$\begin{array}{r} 1 \\ +\ 5 \\ \hline \square \end{array} \quad \begin{array}{r} \square \\ +\ 3 \\ \hline \square \end{array}$$

03 $1 + 3 + 4 = \square$

$$\begin{array}{r} 1 \\ +\ 3 \\ \hline \square \end{array} \quad \begin{array}{r} \square \\ +\ 4 \\ \hline \square \end{array}$$

계산을 하시오. (04~17)

04 $1+2+3$

05 $1+3+5$

06 $2+3+4$

07 $2+4+2$

08 $3+2+3$

09 $3+1+4$

10 $4+2+1$

11 $4+4+1$

12 $3+3+3$

13 $2+5+2$

14 $2+3+2$

15 $4+3+1$

16 $2+2+2$

17 $3+1+3$

□ 안에 알맞은 수를 써넣으시오. (18~23)

18 $1 + 2 + \square = 7$

19 $3 + 1 + \square = 6$

20 $\square + 2 + 4 = 8$

21 $\square + 3 + 2 = 7$

22 $2 + \square + 2 = 9$

23 $3 + \square + 1 = 8$

사고력 기르기

보기 에서 가로줄에 있는 세 수의 합과 세로줄에 있는 세 수의 합은 각각 6으로 같습니다. 물음에 답하시오. (01~02)

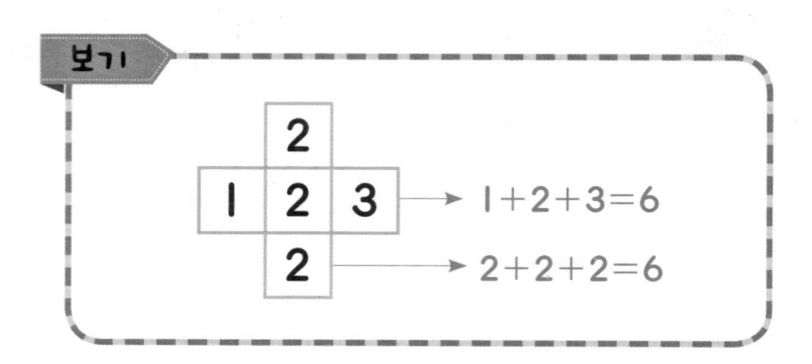

01 가로줄에 있는 세 수의 합과 세로줄에 있는 세 수의 합이 각각 7이 되도록 빈칸을 채우시오.

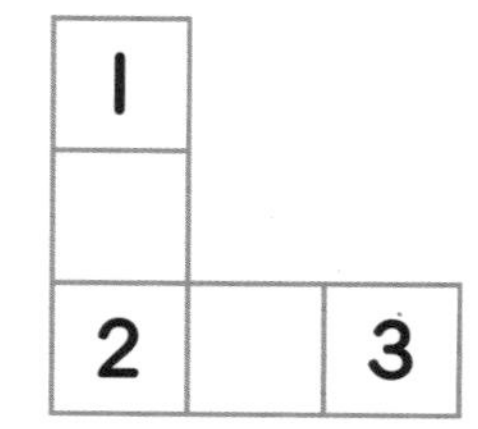

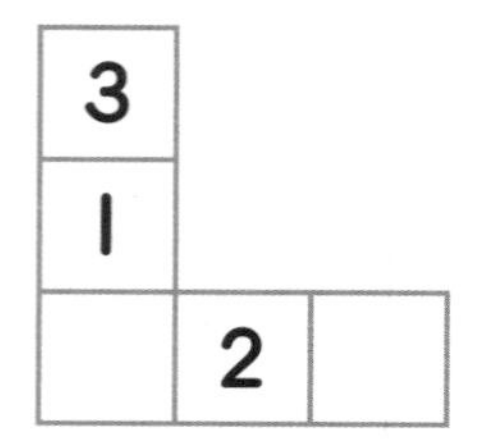

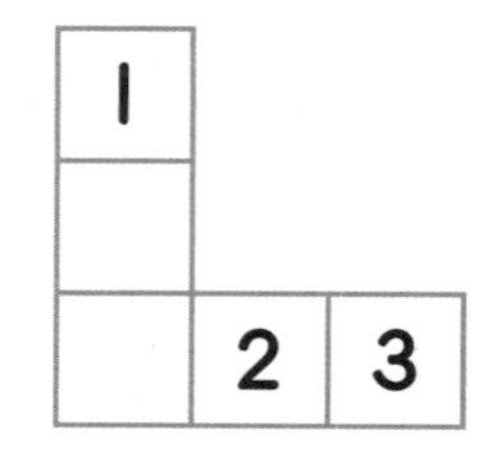

02 가로줄에 있는 세 수의 합과 세로줄에 있는 세 수의 합이 각각 8이 되도록 빈칸을 채우시오.

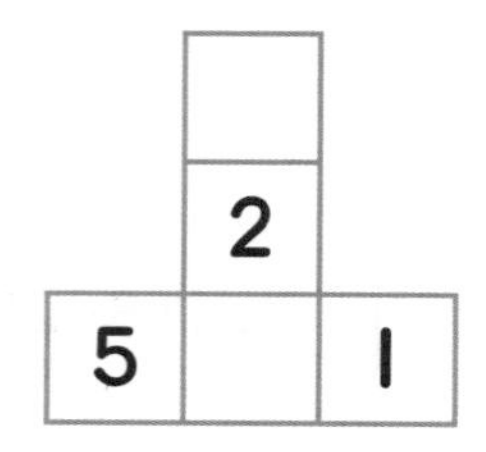

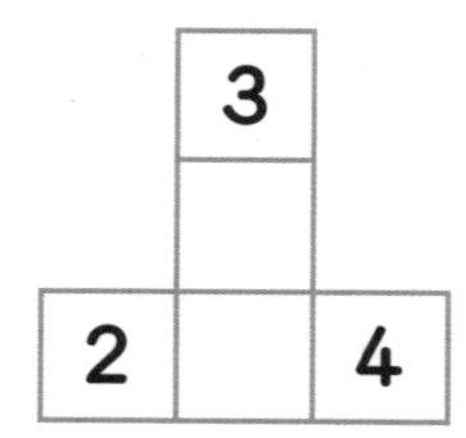

03 보기 와 같이 ○ 안에 1, 2, 3, 4, 5를 모두 써넣어 같은 줄에 있는 세 수의 합이 같아지게 하려고 합니다. ○ 안에 1, 2, 4, 5를 알맞게 써넣으시오.

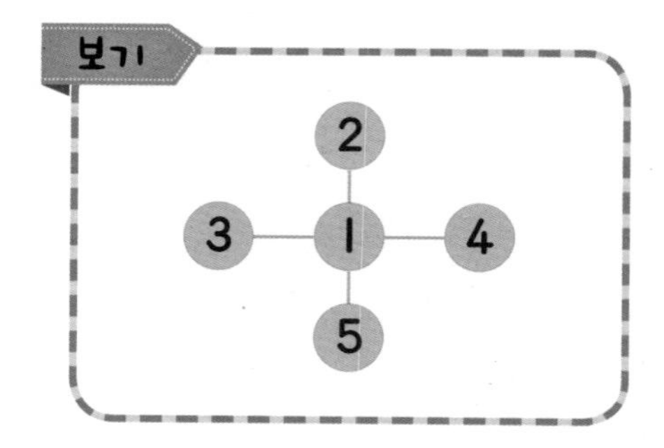

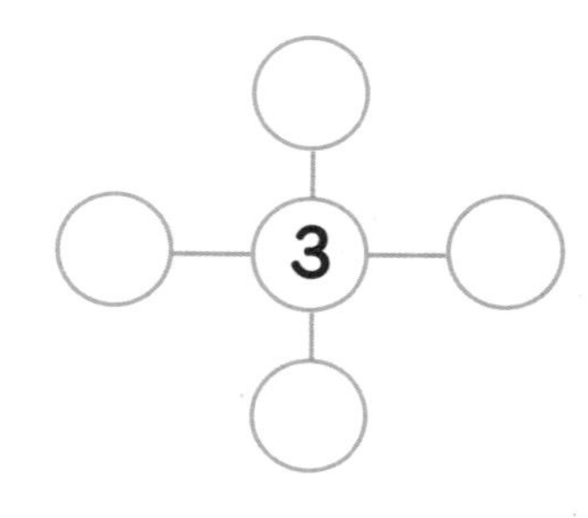

보기 에서 한 원에 들어 있는 수의 합은 각각 4로 같습니다. 물음에 답하시오.
(04~06)

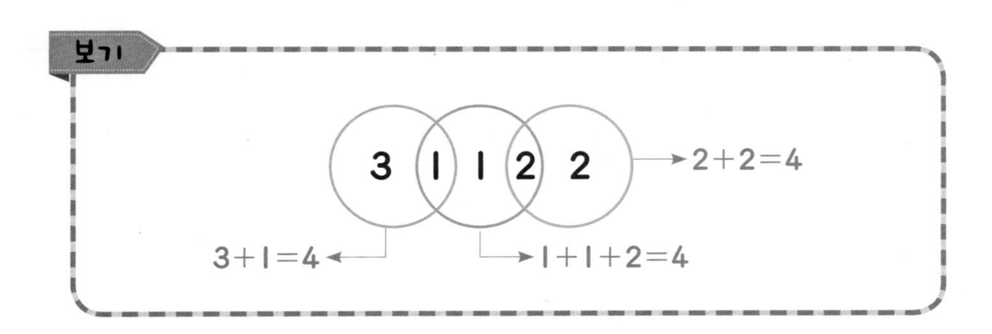

04 한 원에 들어 있는 수의 합이 5가 되도록 빈 곳에 알맞은 수를 써넣으시오.

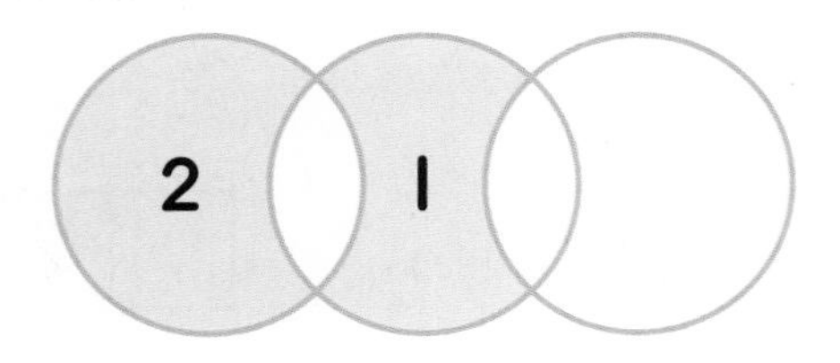

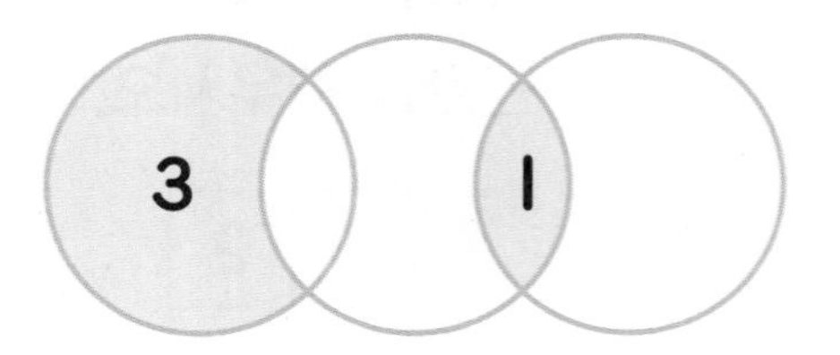

05 한 원에 들어 있는 수의 합이 6이 되도록 빈 곳에 알맞은 수를 써넣으시오.

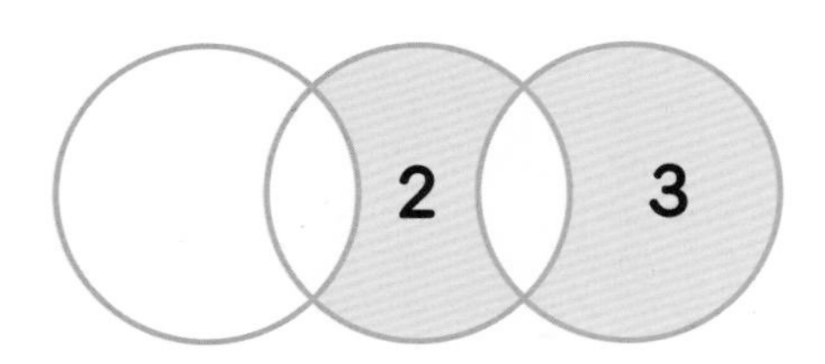

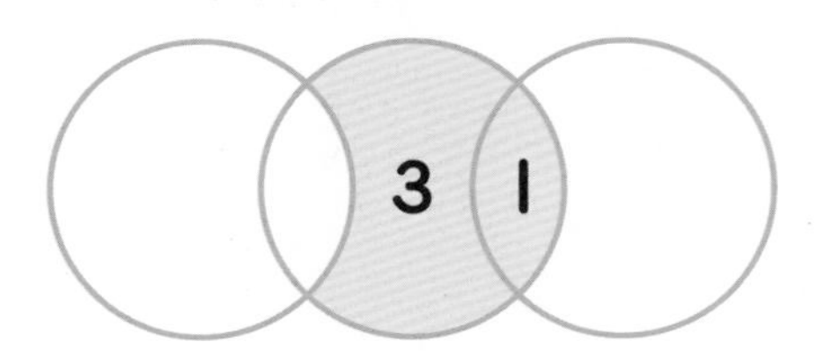

06 한 원에 들어 있는 수의 합이 7이 되도록 빈 곳에 알맞은 수를 써넣으시오.

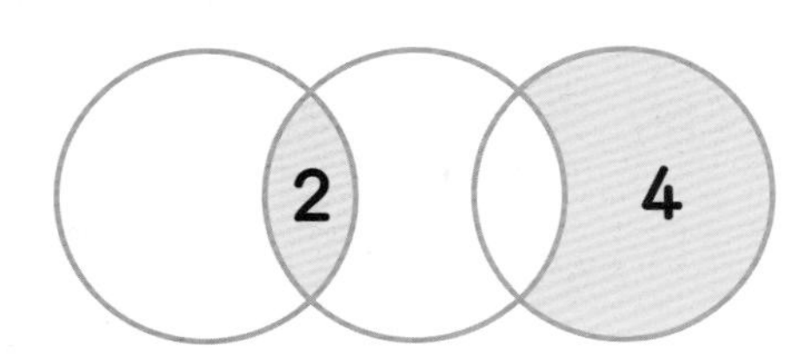

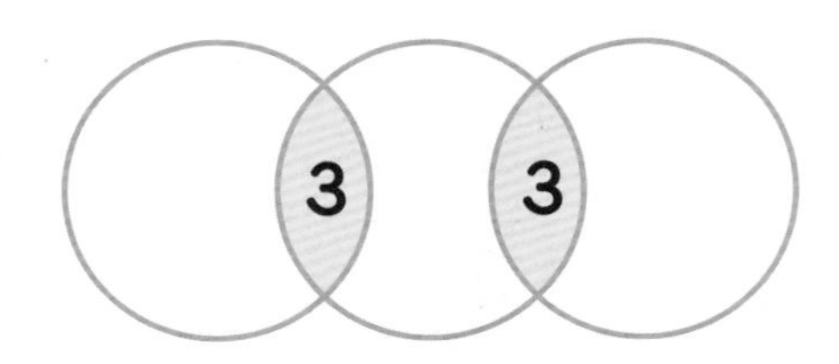

사고력 기르기

Step 2

보기 에서 가로줄에 있는 세 수의 합과 세로줄에 있는 세 수의 합은 각각 7로 같습니다. 물음에 답하시오. (01~03)

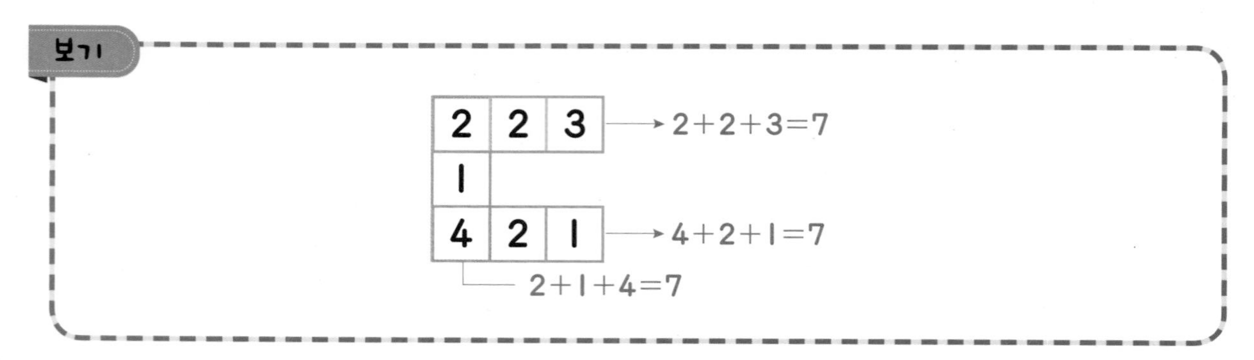

01 가로줄에 있는 세 수의 합과 세로줄에 있는 세 수의 합이 각각 7이 되도록 빈칸을 채우시오.

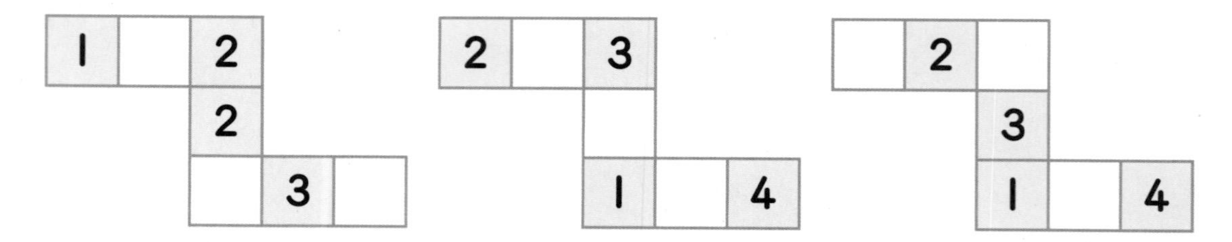

02 가로줄에 있는 세 수의 합과 세로줄에 있는 세 수의 합이 각각 8이 되도록 빈칸을 채우시오.

3		
	2	4
		1

		5
	3	
4		1

		2
2		4
3		

03 가로줄에 있는 세 수의 합과 세로줄에 있는 세 수의 합이 각각 9가 되도록 빈칸을 채우시오.

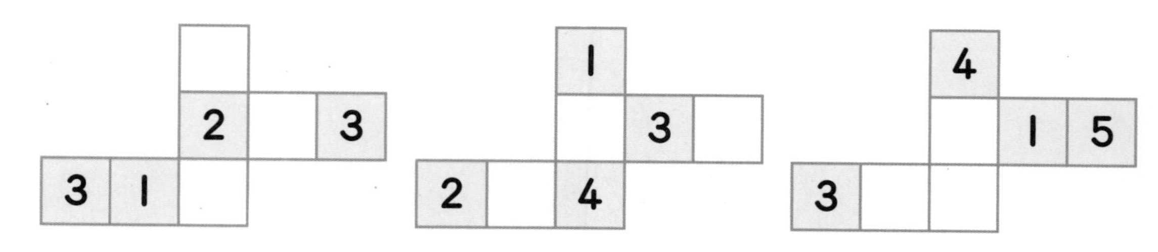

보기 에서 한 원에 들어 있는 수의 합은 각각 7로 같습니다. 물음에 답하시오. (04~06)

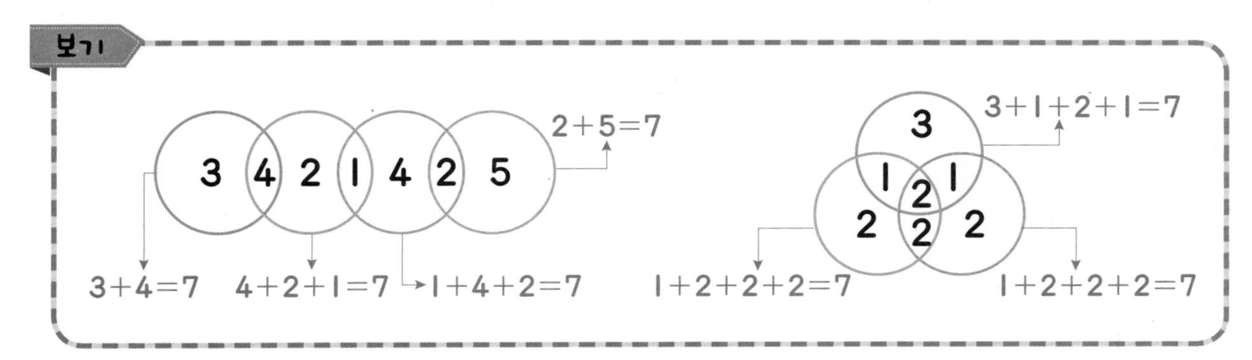

04 한 원에 들어 있는 수의 합이 7이 되도록 빈 곳에 알맞은 수를 써넣으시오.

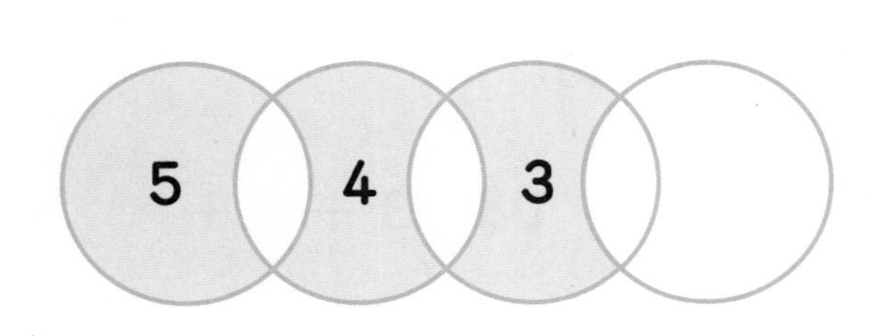

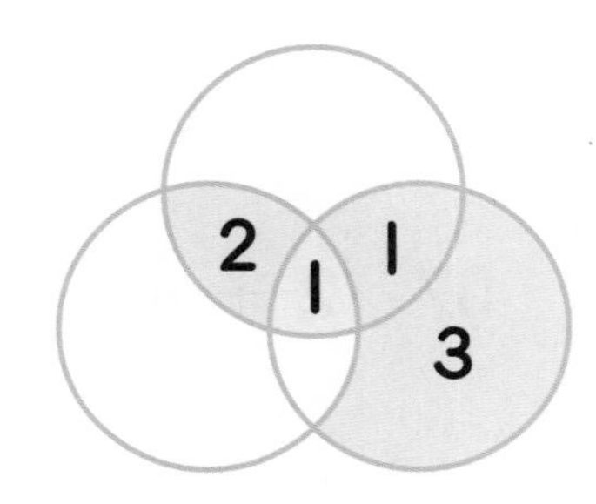

05 한 원에 들어 있는 수의 합이 8이 되도록 빈 곳에 알맞은 수를 써넣으시오.

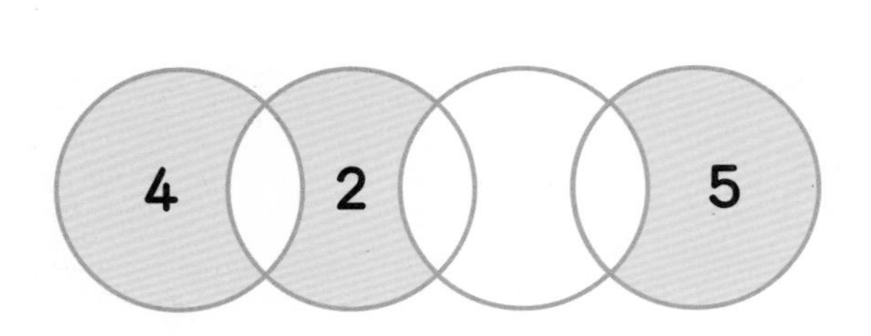

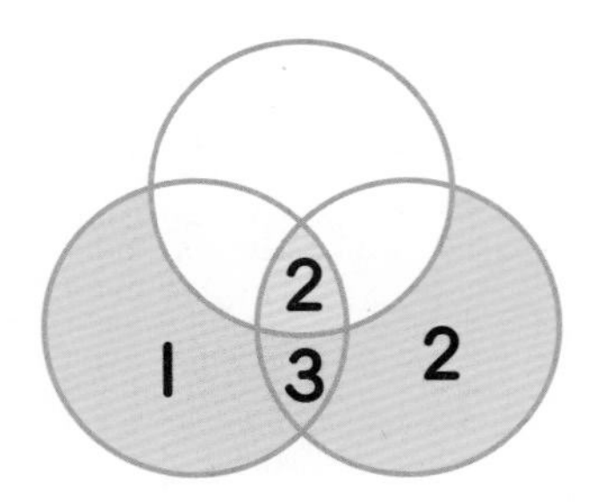

06 한 원에 들어 있는 수의 합이 9가 되도록 빈 곳에 알맞은 수를 써넣으시오.

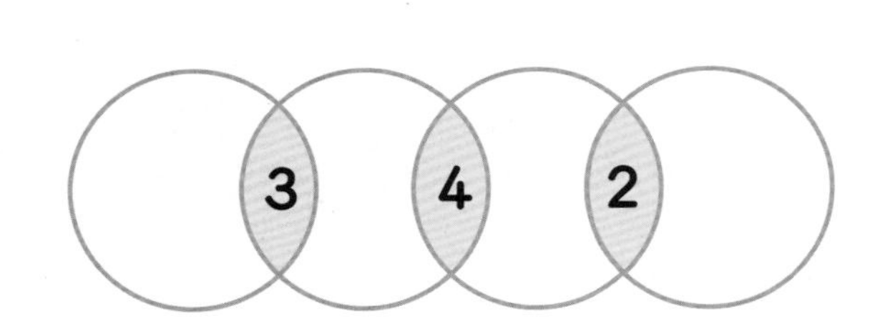

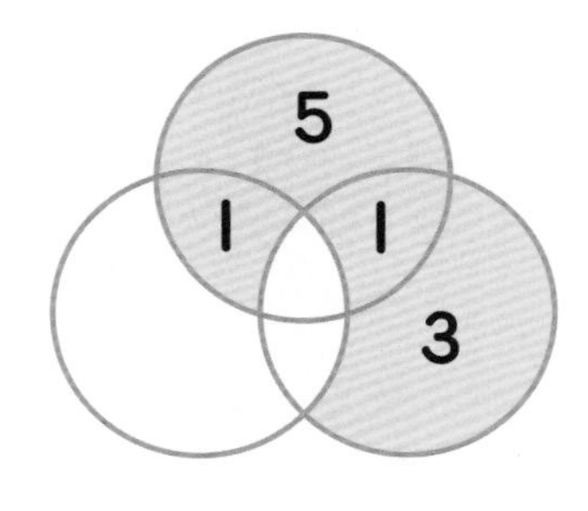

실력 점검

계산을 하시오. (01~06)

01 $3+2+1$

02 $2+3+2$

03 $2+5+1$

04 $1+6+1$

05 $1+3+5$

06 $4+1+4$

□ 안에 알맞은 수를 써넣으시오. (07~10)

07 $2 + 4 + \square = 7$

08 $3 + 1 + \square = 9$

09 $\square + 2 + 4 = 8$

10 $4 + \square + 1 = 8$

다음 도형에서 가로줄과 세로줄에 있는 세 수의 합이 각각 주어진 수와 같아지도록 빈칸을 채우시오. (11~14)

11 6

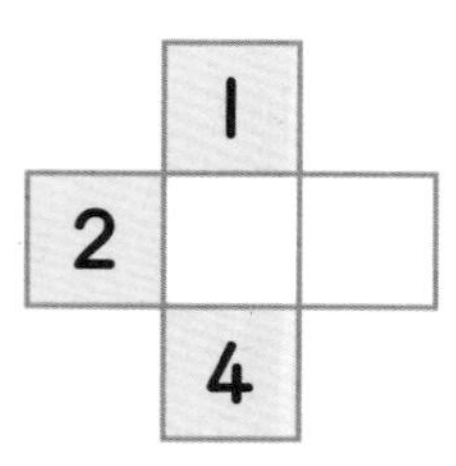

12 9

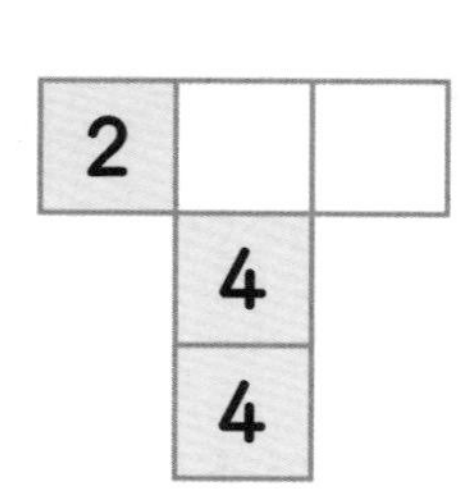

13 7

1		2
	3	3

14 8

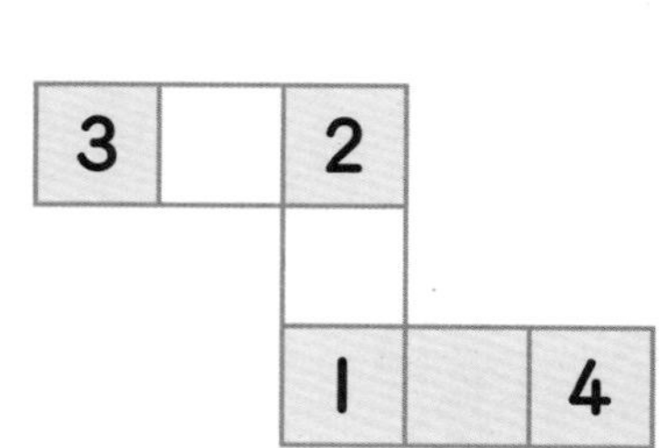

15 숫자를 쓰지 않은 ○ 안에 1, 2, 3, 4를 한 번씩 써넣어 가로줄에 있는 세 수의 합과 세로줄에 있는 세 수의 합이 같아지도록 하시오.

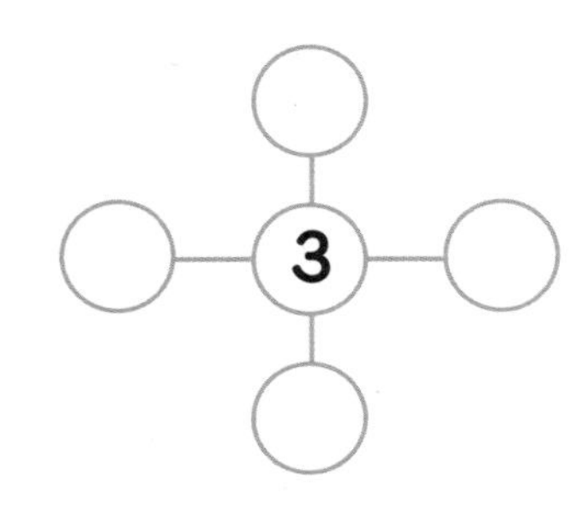

한 원에 들어 있는 수의 합이 주어진 수와 같아지도록 빈 곳에 알맞은 수를 써넣으시오. (16~20)

16

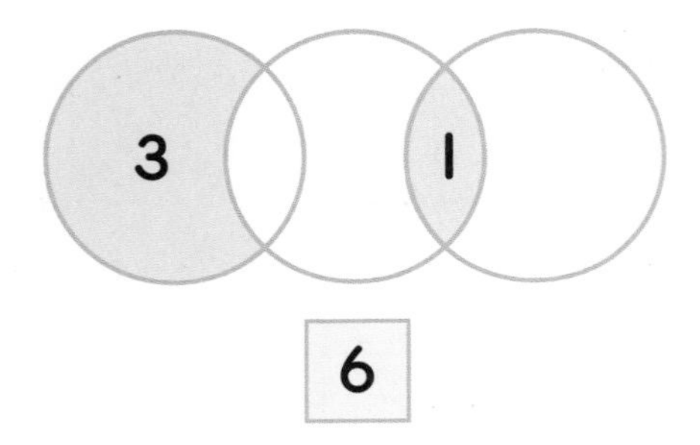

17

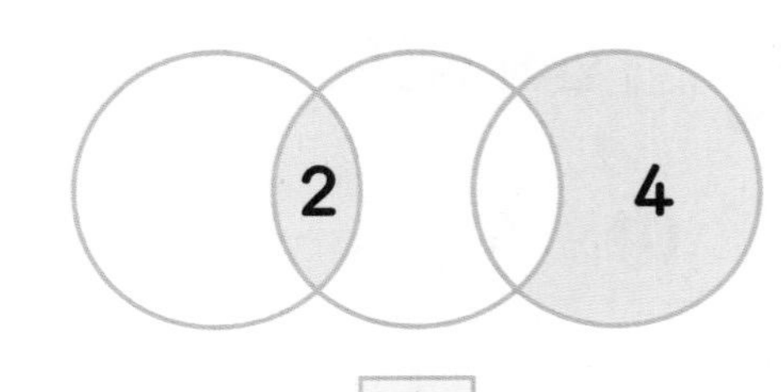

18

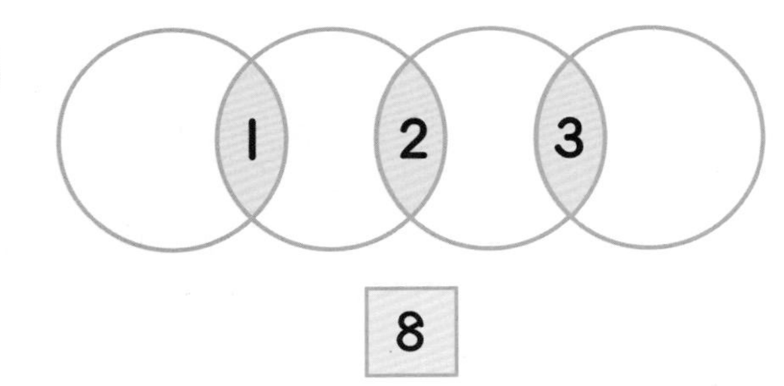

19

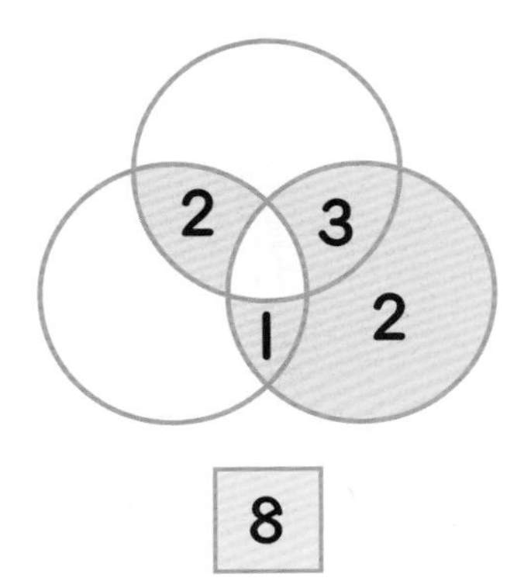

20

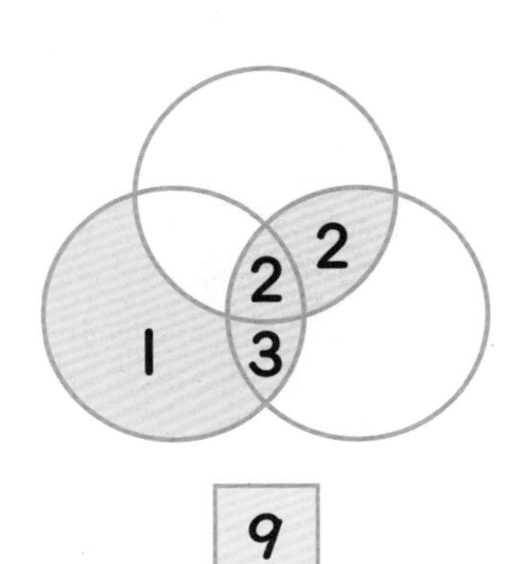

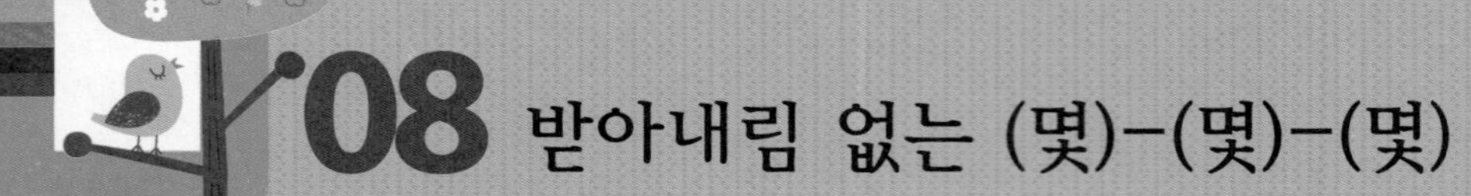

08 받아내림 없는 (몇)-(몇)-(몇)

개념

1. 7－3－2의 계산 방법

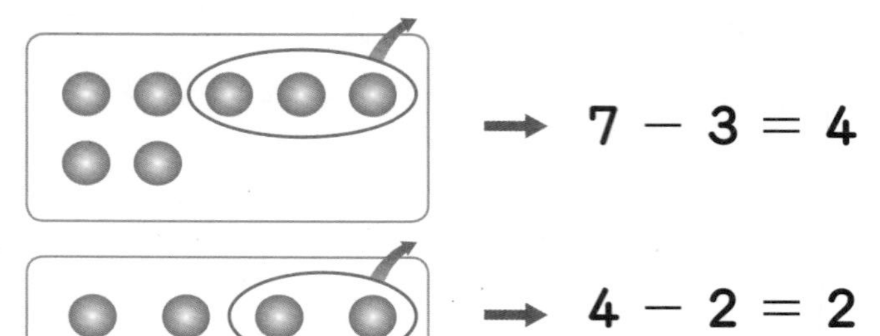

→ $7-3=4$

→ $4-2=2$

$7-3-2=2$

$7-3=4$, $4-2=2$

$$\begin{array}{r} 7 \\ -\ 3 \\ \hline 4 \end{array} \quad \rightarrow \quad \begin{array}{r} 4 \\ -\ 2 \\ \hline 2 \end{array}$$

□ 안에 알맞은 수를 써넣으시오. (01~03)

01 $6-1-2=\square$

$$\begin{array}{r} 6 \\ -\ 1 \\ \hline \square \end{array} \quad \rightarrow \quad \begin{array}{r} \square \\ -\ 2 \\ \hline \square \end{array}$$

02 $8-3-2=\square$

$$\begin{array}{r} 8 \\ -\ 3 \\ \hline \square \end{array} \quad \rightarrow \quad \begin{array}{r} \square \\ -\ 2 \\ \hline \square \end{array}$$

03 $9-4-4=\square$

$$\begin{array}{r} 9 \\ -\ 4 \\ \hline \square \end{array} \quad \rightarrow \quad \begin{array}{r} \square \\ -\ 4 \\ \hline \square \end{array}$$

계산을 하시오. (04~17)

04 $3-1-1$

05 $4-1-2$

06 $4-2-2$

07 $5-1-2$

08 $5-2-1$

09 $6-2-1$

10 $6-1-3$

11 $6-3-2$

12 $7-1-4$

13 $7-3-1$

14 $7-2-3$

15 $8-4-2$

16 $8-5-2$

17 $9-5-3$

□ 안에 알맞은 수를 써넣으시오. (18~23)

18 $9-3-\square=4$

19 $8-2-\square=3$

20 $\square-4-1=2$

21 $\square-2-2=5$

22 $8-\square-1=6$

23 $9-\square-3=1$

주어진 숫자 카드 4장을 모두 사용하여 보기 와 같이 세 수의 뺄셈식을 만들었습니다. 이와 같은 방법으로 주어진 숫자 카드를 모두 사용하여 세 수의 뺄셈식을 만들어 보시오. (01~03)

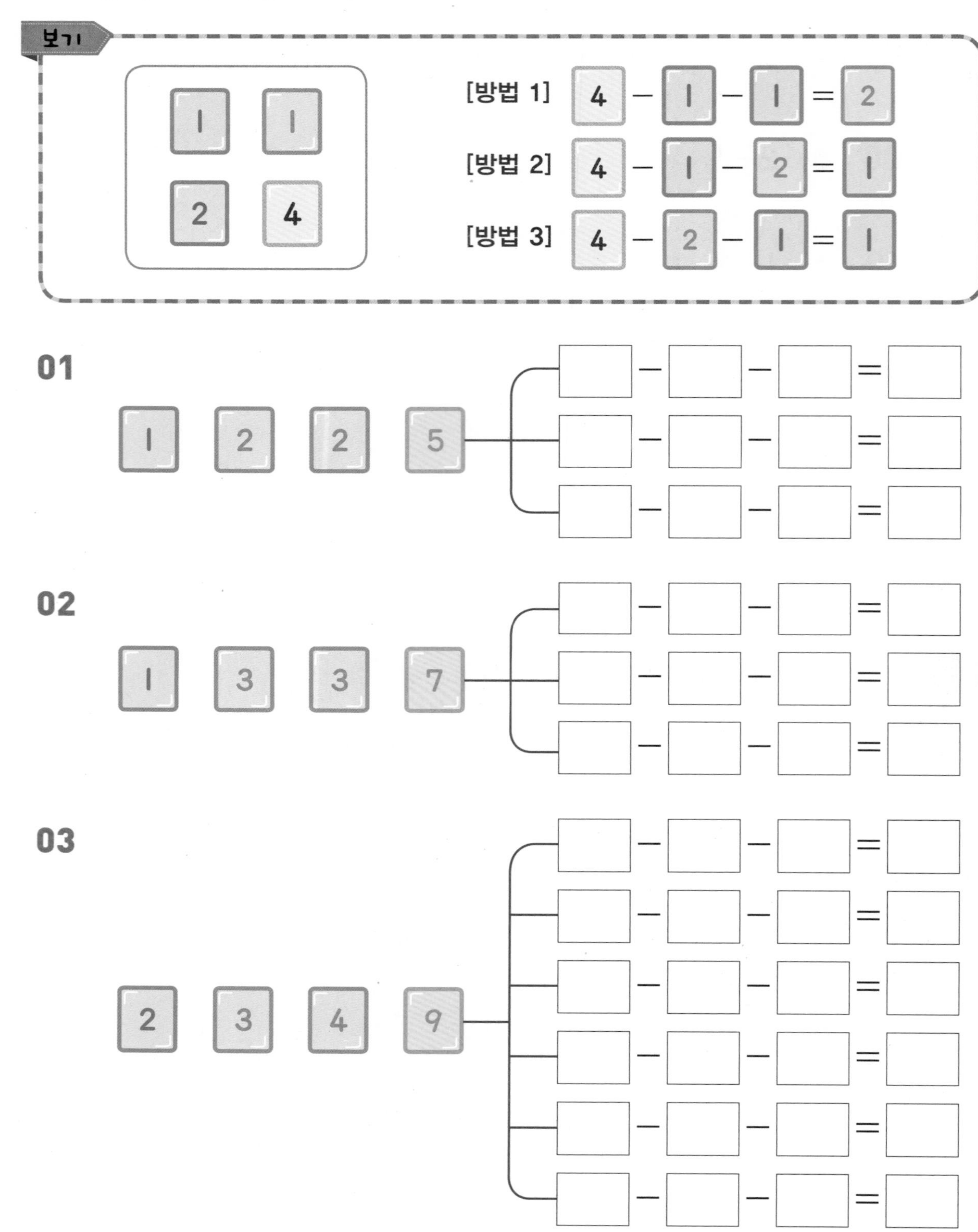

보기 에서 □ 안에 넣을 수 있는 숫자는 0을 제외하면 1과 2입니다. 이것을 참고하여 □ 안에 0을 제외하고 넣을 수 있는 숫자를 모두 구하시오. (04~13)

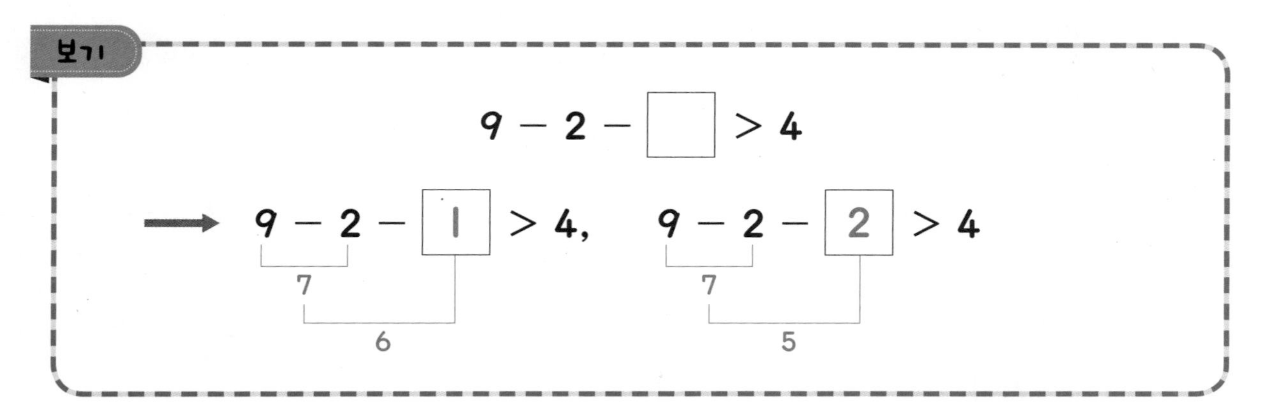

04 $8 - 3 - \square > 1$

(　　　　　　)

05 $7 - 2 - \square > 2$

(　　　　　　)

06 $9 - 4 - \square < 3$

(　　　　　　)

07 $8 - 2 - \square < 2$

(　　　　　　)

08 $8 - \square - 3 > 2$

(　　　　　　)

09 $9 - \square - 1 > 4$

(　　　　　　)

10 $7 - \square - 2 < 3$

(　　　　　　)

11 $8 - \square - 3 < 5$

(　　　　　　)

12 $\square - 1 - 3 > 3$

(　　　　　　)

13 $\square - 2 - 2 > 1$

(　　　　　　)

사고력 기르기

Step 2

보기 와 같이 □ 안에 0이 아닌 숫자를 넣어 뺄셈식이 만들어지는 경우는 3가지가 있습니다. 이와 같은 방법으로 여러 가지 뺄셈식을 만들어 보시오. (01~05)

보기

9 − □ − □ = 5

9 − 1 − 3 = 5 (합 4)　9 − 2 − 2 = 5 (합 4)　9 − 3 − 1 = 5 (합 4)

→ 9에서 4만큼 빼야 5가 될 수 있으므로 □ 안에 들어갈 두 수의 합이 4이어야 합니다.

01
8 − □ − □ = 5　8 − □ − □ = 5

02
7 − □ − □ = 3　7 − □ − □ = 3
7 − □ − □ = 3

03
9 − □ − □ = 4　9 − □ − □ = 4
9 − □ − □ = 4　9 − □ − □ = 4

04
8 − □ − □ = 2　8 − □ − □ = 2
8 − □ − □ = 2　8 − □ − □ = 2
8 − □ − □ = 2

05
9 − □ − □ = 2　9 − □ − □ = 2
9 − □ − □ = 2　9 − □ − □ = 2
9 − □ − □ = 2　9 − □ − □ = 2

보기 와 같이 □ 안에 0이 아닌 숫자를 넣어 뺄셈식이 만들어지는 경우는 2가지가 있습니다. 이와 같은 방법으로 여러 가지 뺄셈식을 만들어 보시오. (06~07)

보기

□ − □ − 3 = 4

[9] − [2] − 3 = 4 (차 7) [8] − [1] − 3 = 4 (차 7)

→ 7에서 3만큼 빼야 4가 될 수 있으므로 □ 안에 들어갈 두 수의 차는 7이어야 합니다.

06 □ − □ − 1 = 4 □ − □ − 1 = 4

□ − □ − 1 = 4 □ − □ − 1 = 4

07 □ − □ − 2 = 2 □ − □ − 2 = 2

□ − □ − 2 = 2 □ − □ − 2 = 2

□ − □ − 2 = 2

보기 를 참고하여 여러 가지 뺄셈식을 만들어 보시오.(단, □ 안에 넣을 숫자는 0을 제외한 숫자입니다.) (08~09)

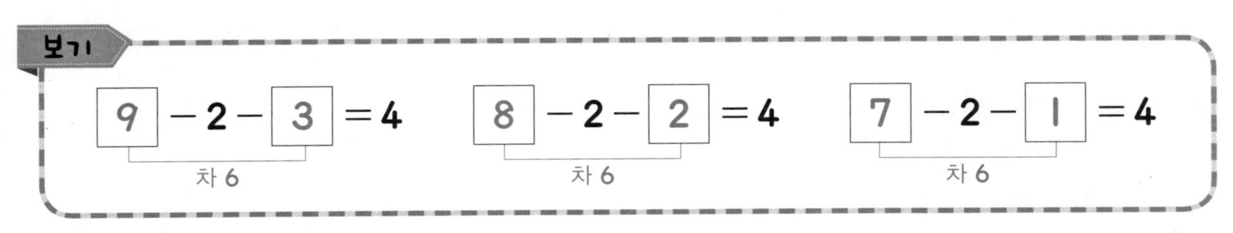

보기

[9] − 2 − [3] = 4 (차 6) [8] − 2 − [2] = 4 (차 6) [7] − 2 − [1] = 4 (차 6)

08 □ − 4 − □ = 3 □ − 4 − □ = 3

09 □ − 3 − □ = 2 □ − 3 − □ = 2

□ − 3 − □ = 2 □ − 3 − □ = 2

실력 점검

□ 안에 알맞은 수를 써넣으시오. (01~04)

01 $8 - 2 - 3 = \square$

02 $7 - 3 - 1 = \square$

03 $9 - 1 - 4 = \square$

04 $8 - 3 - 3 = \square$

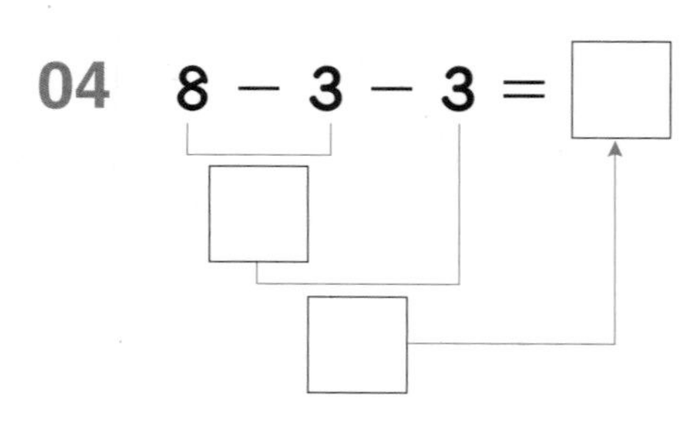

계산을 하시오. (05~12)

05 $5-1-3$

06 $6-2-2$

07 $7-5-1$

08 $8-4-4$

09 $8-2-4$

10 $9-3-4$

11 $9-1-5$

12 $9-4-2$

□ 안에 알맞은 수를 써넣으시오. (13~16)

13 $7 - 2 - \square = 2$

14 $8 - 1 - \square = 4$

15 $\square - 2 - 3 = 3$

16 $9 - \square - 1 = 1$

실력 점검

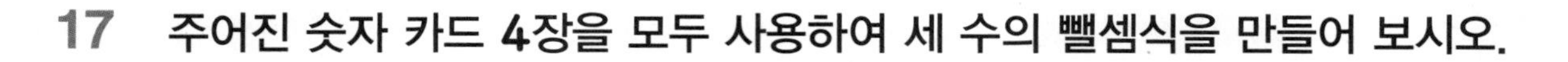

17 주어진 숫자 카드 4장을 모두 사용하여 세 수의 뺄셈식을 만들어 보시오.

 2 3 

□ − □ − □ = □   □ − □ − □ = □

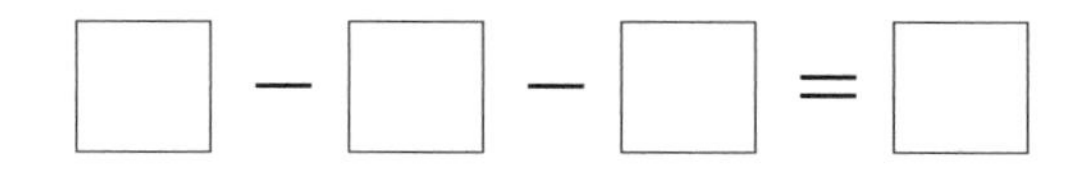

□ − □ − □ = □

□ 안에 넣을 수 있는 숫자 중에서 0을 제외한 숫자를 모두 구하시오. (18~19)

18 $8 - 2 - \square > 2$

( )

19 $9 - \square - 2 < 5$

( )

□ 안에 0이 아닌 숫자를 넣어 여러 가지 뺄셈식을 만들어 보시오. (20~22)

20 $6 - \square - \square = 2$ $6 - \square - \square = 2$

$6 - \square - \square = 2$

21 $\square - \square - 2 = 4$ $\square - \square - 2 = 4$

$\square - \square - 2 = 4$

22 $\square - 1 - \square = 4$ $\square - 1 - \square = 4$

$\square - 1 - \square = 4$ $\square - 1 - \square = 4$

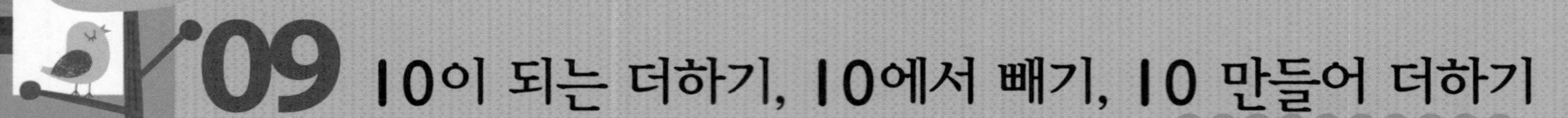

09 10이 되는 더하기, 10에서 빼기, 10 만들어 더하기

개념

1. 10이 되는 더하기

→ $3 + 7 = 10$

$1 + 9 = 10$　$2 + 8 = 10$　$3 + 7 = 10$　$4 + 6 = 10$　$5 + 5 = 10$

$6 + 4 = 10$　$7 + 3 = 10$　$8 + 2 = 10$　$9 + 1 = 10$

2. 10에서 빼기

→ $10 - 4 = 6$

$10 - 1 = 9$　$10 - 2 = 8$　$10 - 3 = 7$　$10 - 4 = 6$　$10 - 5 = 5$

$10 - 6 = 4$　$10 - 7 = 3$　$10 - 8 = 2$　$10 - 9 = 1$

3. 10을 만들어 더하기

$7 + 3 + 5 = 15$　(7 + 3 → 10, 10 + 5 → 15)

$8 + 4 + 6 = 18$　(4 + 6 → 10, 8 + 10 → 18)

$1 + 6 + 9 = 16$　(1 + 9 → 10, 10 + 6 → 16)

세 수 중 두 수의 합이 10이 되는 경우를 찾습니다.

□ 안에 알맞은 수를 써넣으시오. (01~12)

01　$2 + \square = 10$　　02　$4 + \square = 10$　　03　$6 + \square = 10$

04　$\square + 8 = 10$　　05　$\square + 1 = 10$　　06　$\square + 3 = 10$

07　$10 - \square = 4$　　08　$10 - \square = 5$　　09　$10 - \square = 3$

10　$\square - 2 = 8$　　11　$\square - 5 = 5$　　12　$\square - 6 = 4$

계산을 하시오. (13~20)

13 $9+1+3$

14 $2+8+4$

15 $3+7+9$

16 $4+5+5$

17 $2+3+7$

18 $7+4+6$

19 $1+7+9$

20 $8+6+2$

10 만들어 더하기를 이용하여 □ 안에 알맞은 수를 써넣으시오. (21~28)

21 $1+\square+5=15$

22 $3+\square+6=16$

23 $4+\square+1=11$

24 $5+\square+2=12$

25 $3+\square+8=13$

26 $4+\square+5=14$

27 $\square+7+2=17$

28 $6+8+\square=18$

식이 성립하도록 □ 안에 알맞은 수를 써넣으시오. (29~36)

29 $3+7=2+\square$

30 $6+4=5+\square$

31 $8+2=\square+4$

32 $1+9=\square+7$

33 $10-2=9-\square$

34 $10-3=8-\square$

35 $10-\square=8-2$

36 $10-\square=9-5$

사고력 기르기

Step 1

주어진 수 중 서로 다른 두 수를 골라 덧셈식을 완성하시오. (01~05)

01 2 4 5 6 9 　 □ + □ = 10

02 1 3 5 7 8 　 □ + □ = 10

03 7 4 5 9 3 　 □ + □ = 10

04 3 6 9 5 1 　 □ + □ = 10

05 2 9 3 8 5 　 □ + □ = 10

주어진 수 중 서로 다른 두 수를 골라 뺄셈식을 완성하시오 (06~09)

06 1 3 2 7 4
- 10 − □ = □
- 10 − □ = □

07 4 5 8 7 2
- 10 − □ = □
- 10 − □ = □

08 2 1 7 6 9
- 10 − □ = □
- 10 − □ = □

09 3 6 5 4 8
- 10 − □ = □
- 10 − □ = □

주어진 수 중 서로 다른 세 수를 골라 덧셈식을 완성하시오 (10~16)

10 8 3 2 1 9 　 □ + □ + □ = 11

11 5 8 4 2 6 　 □ + □ + □ = 12

12 7 1 4 3 9 　 □ + □ + □ = 13

13 1 4 3 5 7 　 □ + □ + □ = 14

14 5 7 6 4 8 　 □ + □ + □ = 15

15 4 6 5 1 9 　 □ + □ + □ = 16

16 2 3 7 5 8 　 □ + □ + □ = 17

01 가로 방향과 세로 방향에 있는 세 수의 합이 각각 18이 되도록 빈칸에 수를 써넣으시오.

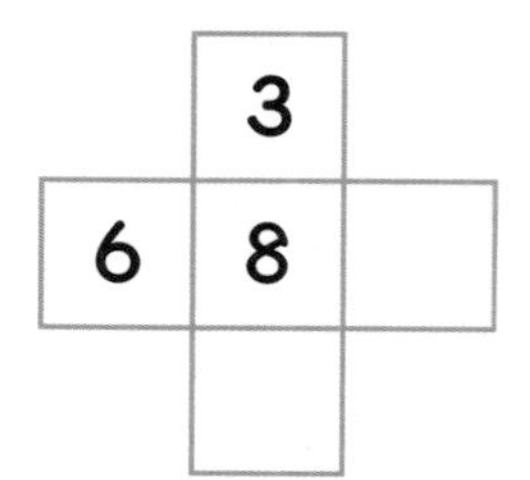

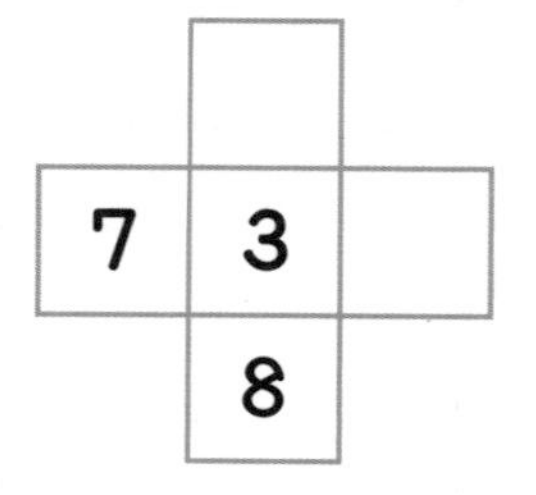

02 가로 방향과 세로 방향에 있는 세 수의 합이 각각 19가 되도록 빈칸에 수를 써넣으시오.

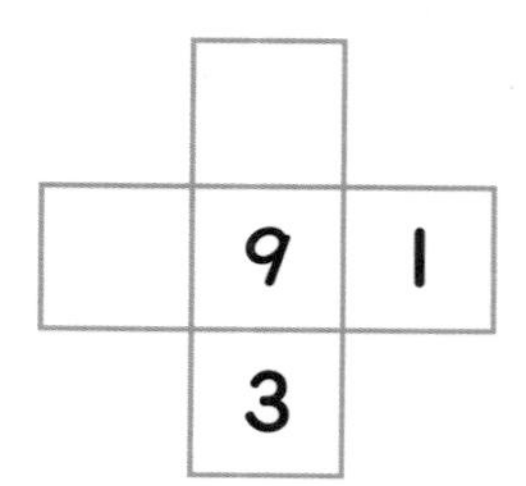

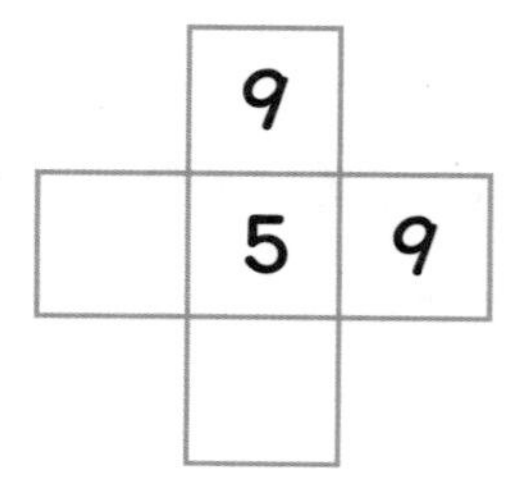

03 가로 방향과 세로 방향에 있는 세 수의 합이 각각 17이 되도록 빈칸에 수를 써넣으시오.

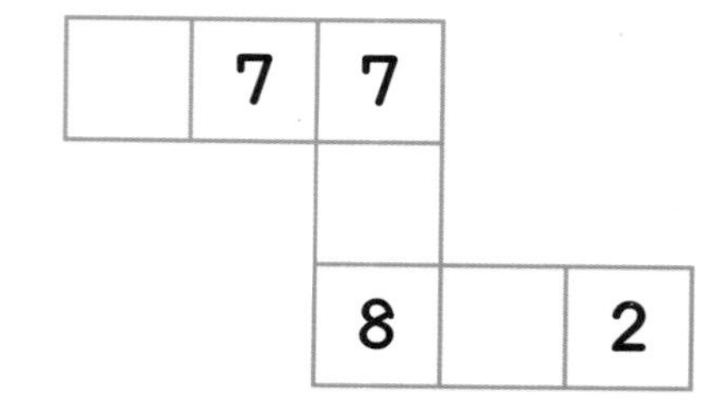

2	7			
		7		
			8	

1부터 9까지의 수 중 □ 안에 들어갈 수 있는 수를 모두 찾아 쓰시오. (04~07)

04 $10 - 2 > \square + 3$ (　　　　　　　)

05 $10 - 4 > \square + 2$ (　　　　　　　)

06 $7 + 5 + 3 > 11 + \square$ (　　　　　　　)

07 $8 + 8 + 2 > \square + 12$ (　　　　　　　)

식을 보고 ▲, ●, ♥가 나타내는 수를 각각 구하시오. (08~09)

08

▲ − ● = ♥ + 2
● + 4 = ▲
▲ − 2 = 8

▲ = □　● = □　♥ = □

09

▲ − ● = ♥ + 2
● + 9 = ▲
▲ − 5 = 5

▲ = □　● = □　♥ = □

실력 점검

□ 안에 알맞은 수를 써넣으시오. (01~08)

01 $7 + \square = 10$

02 $9 + \square = 10$

03 $\square + 5 = 10$

04 $\square + 6 = 10$

05 $10 - \square = 4$

06 $10 - \square = 8$

07 $\square - 7 = 3$

08 $\square - 5 = 5$

계산을 하시오. (09~14)

09 $8+2+7$

10 $7+3+6$

11 $5+4+5$

12 $6+6+4$

13 $4+5+6$

14 $3+9+7$

10 만들어 더하기를 이용하여 □ 안에 알맞은 수를 써넣으시오. (15~18)

15 $8 + \square + 1 = 11$

16 $\square + 4 + 6 = 17$

17 $7 + 2 + \square = 12$

18 $\square + 5 + 5 = 15$

식이 성립하도록 □ 안에 알맞은 수를 써넣으시오. (19~22)

19 $9 + 1 = \square + 4$

20 $\square + 2 = 3 + 7$

21 $\square - 3 = 8 - 1$

22 $\square - 6 = 7 - 3$

23 주어진 수 중 서로 다른 두 수를 골라 덧셈식을 완성하시오.

□ + □ = 10

24 주어진 수 중 서로 다른 두 수를 골라 뺄셈식을 완성하시오.

1 4 7 8 6

10 − □ = □

10 − □ = □

25 주어진 수 중 서로 다른 세 수를 골라 덧셈식을 완성하시오.

4 7 5 9 3

□ + □ + □ = 15

26 가로 방향과 세로 방향에 있는 세 수의 합이 각각 16이 되도록 빈칸에 수를 써넣으시오.

	2	
□	6	7
	□	

	□	
6	4	□
	6	

27 식을 보고 ▲, ●, ♥가 나타내는 수를 각각 구하시오.

▲ − ● = ♥ − 2

● + 7 = ▲

▲ − 4 = 6

▲ = □ ● = □ ♥ = □

10 받아올림 있는 (몇)+(몇)

개념

1. 8+7의 계산

[방법 1] $8+7=15$ → 먼저 8에 2를 더해서 10을 만든 뒤 5를 더하면 15입니다.
(7 → 2, 5)

[방법 2] $8+7=15$ → 먼저 7에 3을 더해서 10을 만든 뒤 5를 더하면 15입니다.
(8 → 5, 3)

2. 7+9의 계산

[방법 1] $7+9=16$ → 먼저 7에 3을 더해서 10을 만든 뒤 6을 더하면 16입니다.
(9 → 3, 6)

[방법 2] $7+9=16$ → 먼저 9에 1을 더해서 10을 만든 뒤 6을 더하면 16입니다.
(7 → 6, 1)

□ 안에 알맞은 수를 써넣으시오. (01~06)

01 $6+5=\square$ (5 → □, 1)

02 $7+6=\square$ (6 → □, 3)

03 $7+7=\square$ (7 → □, 4)

04 $9+6=\square$ (9 → 5, □)

05 $8+4=\square$ (8 → 2, □)

06 $9+8=\square$ (9 → 7, □)

□ 안에 알맞은 수를 써넣으시오. (07~12)

07 $7 + 8 = \square$

$\square$ 5

08 $8 + 9 = \square$

$\square$ 7

09 $8 + 8 = \square$

$\square$ 6

10 $3 + 8 = \square$

1 $\square$

11 $5 + 7 = \square$

2 $\square$

12 $2 + 9 = \square$

$\square$ 1

계산을 하시오. (13~24)

13 $9+2=\square$

14 $8+5=\square$

15 $6+6=\square$

16 $7+4=\square$

17 $8+4=\square$

18 $9+6=\square$

19 $2+9=\square$

20 $6+8=\square$

21 $5+7=\square$

22 $8+8=\square$

23 $4+7=\square$

24 $9+9=\square$

사고력 기르기

Step 1

다음과 같이 7장의 숫자 카드가 있습니다. 이 중 2장을 골라 덧셈식을 만들려고 합니다. 물음에 답하시오. (01~04)

  7 8 5 9 

01 합이 11인 덧셈식을 모두 만들어 보시오.

□ + □ = 11 □ + □ = 11 □ + □ = 11

□ + □ = 11 □ + □ = 11 □ + □ = 11

02 합이 13인 덧셈식을 모두 만들어 보시오.

□ + □ = 13 □ + □ = 13 □ + □ = 13

□ + □ = 13 □ + □ = 13 □ + □ = 13

03 합이 14인 덧셈식을 모두 만들어 보시오.

□ + □ = 14 □ + □ = 14 □ + □ = 14

□ + □ = 14

04 합이 15인 덧셈식을 모두 만들어 보시오.

□ + □ = 15 □ + □ = 15 □ + □ = 15

□ + □ = 15

보기 에서 가로 방향의 두 수의 합은 모두 11로 같고 세로 방향의 두 수의 합은 모두 13으로 같습니다. 이와 같이 같은 방향의 두 수의 합이 같도록 빈칸에 수를 써넣으시오. (05~10)

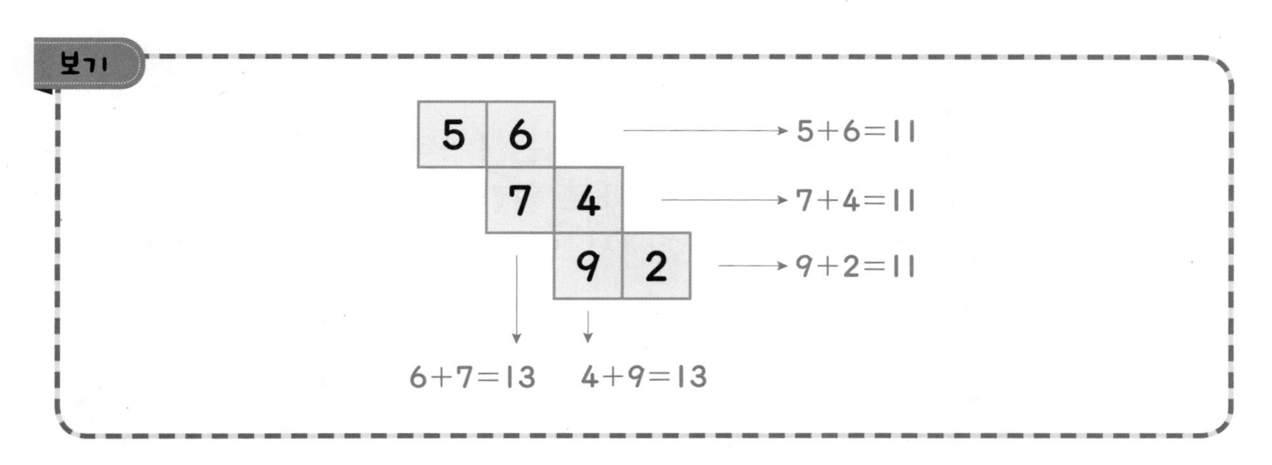

05

7	5		
	8	□	
		□	□

06

9	5		
	7	□	
		□	□

07

□	6		
	5	7	
		□	□

08

□	4		
	8	5	
		□	□

09

□	□		
	□	8	
		8	7

10

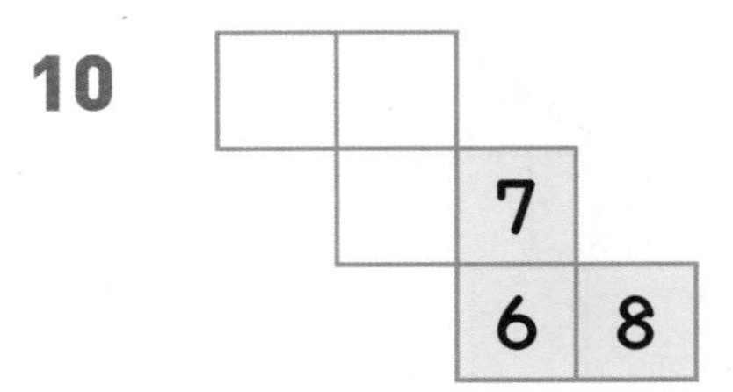

사고력 기르기

Step 2

보기 를 참고하여 빈칸에 알맞은 수를 써넣으시오. (01~03)

보기

도형 안의 빈칸에 수를 써넣는 규칙은 다음과 같습니다.

[규칙]

① 맨 위칸을 제외한 나머지 칸에는 1부터 9까지의 숫자만 씁니다.
② 아래 두 칸의 수의 합을 바로 위칸에 씁니다.
③ 가로 방향으로 놓인 수에서 오른쪽의 수는 왼쪽의 수보다 작지 않습니다.

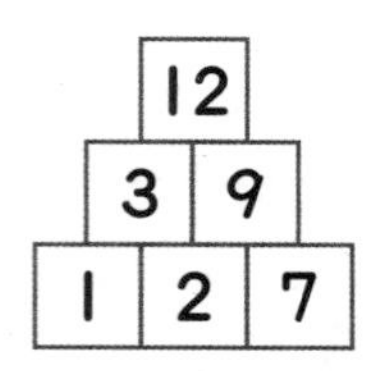

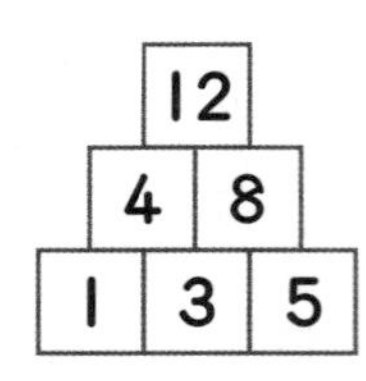

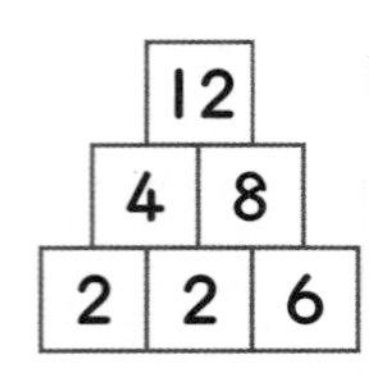

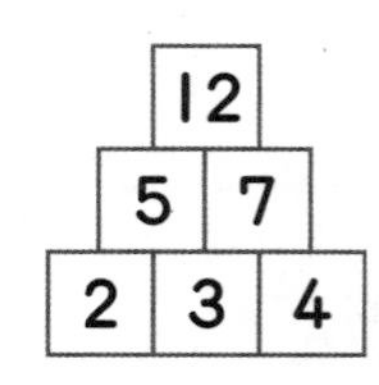

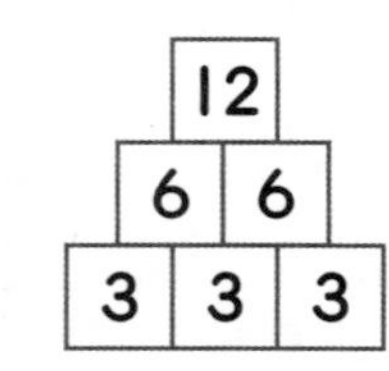

01

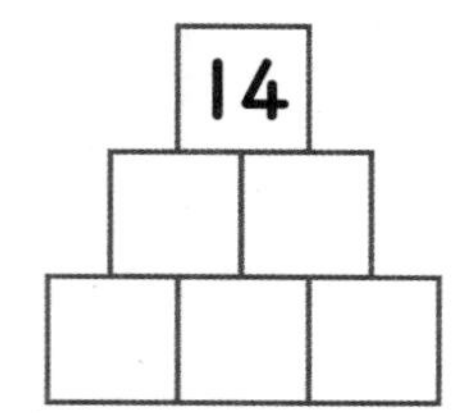

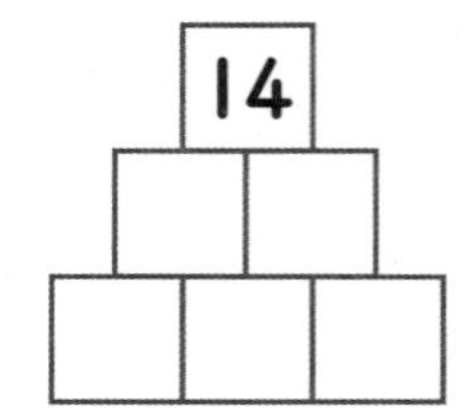

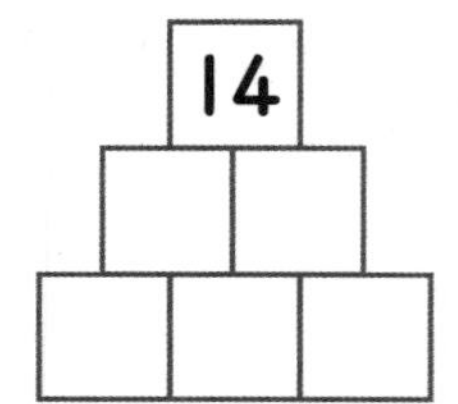

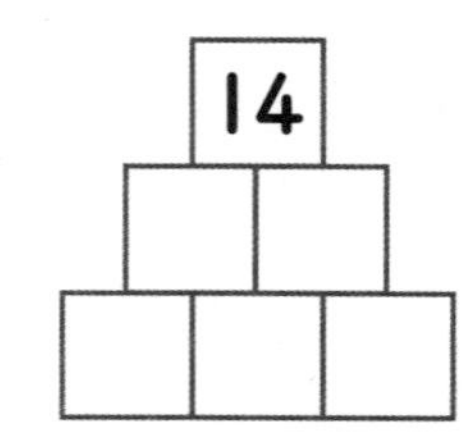

02

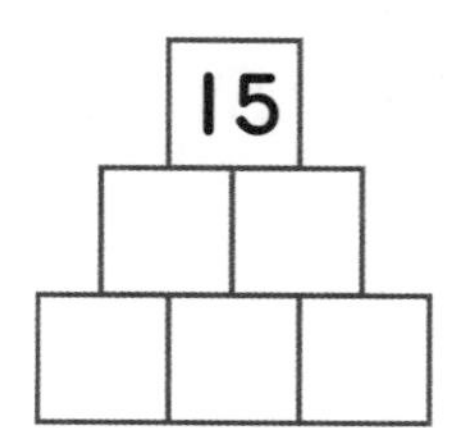

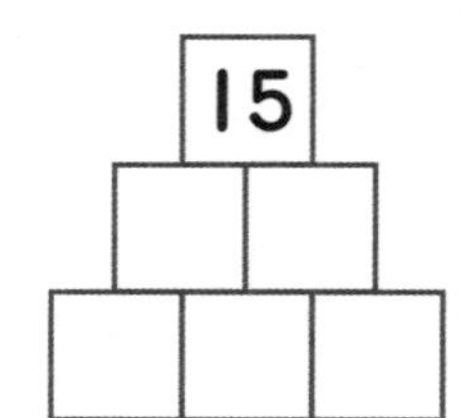

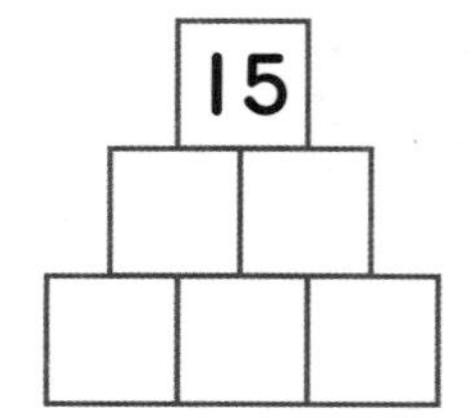

03

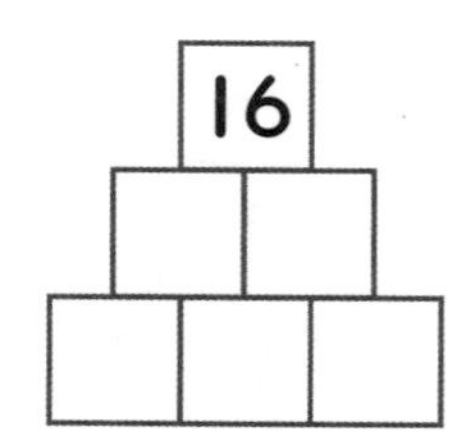

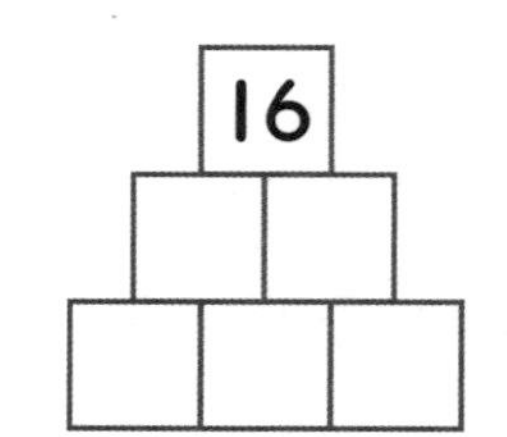

석기와 웅이는 다음과 같이 점수가 적힌 과녁 안으로 100원짜리 동전을 손가락으로 튕겨 넣는 놀이를 하고 있습니다.

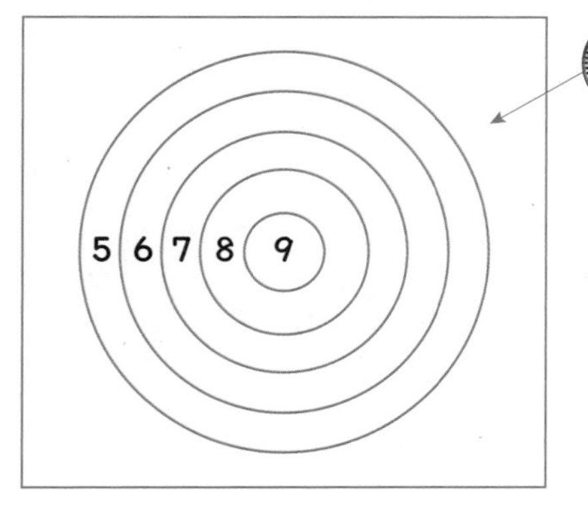

석기와 웅이가 각각 동전을 2번씩 튕겨 넣은 경우 합이 큰 쪽이 이깁니다.
예를 들어 석기가 2번 모두 8점을 얻었을 때, 웅이가 이기려면 웅이는 9점을 2번 얻거나 8점과 9점을 얻어야 합니다.
물음에 답하시오. (04~05)

04 석기가 동전을 2번 튕겨 얻은 점수가 7점과 8점일 때 웅이가 석기를 이길 수 있는 경우를 모두 쓰시오.

[경우 1] 7점과 9점을 얻습니다. $7+9=16$(점)

[경우 2]

[경우 3]

[경우 4]

05 웅이가 동전을 2번 튕겨 얻은 점수가 7점이 2번일 때 석기가 웅이를 이길 수 있는 있는 경우를 모두 쓰시오.

[경우 1] 7점과 8점을 얻습니다. $7+8=15$(점)

[경우 2]

[경우 3]

[경우 4]

[경우 5]

[경우 6]

실력 점검

□ 안에 알맞은 수를 써넣으시오. (01~06)

01 $9 + 4 = \square$ (4 → □, 3)

02 $8 + 3 = \square$ (3 → □, 1)

03 $8 + 6 = \square$ (8 → 4, □)

04 $6 + 9 = \square$ (6 → 5, □)

05 $5 + 8 = \square$ (5 → 3, □)

06 $7 + 7 = \square$ (7 → 4, □)

계산을 하시오. (07~16)

07 $8+7=\square$

08 $4+8=\square$

09 $9+5=\square$

10 $6+7=\square$

11 $6+6=\square$

12 $2+9=\square$

13 $7+5=\square$

14 $8+8=\square$

15 $9+9=\square$

16 $6+8=\square$

17 주어진 5장의 카드 중 2장을 골라 합이 17인 덧셈식을 모두 만드시오.

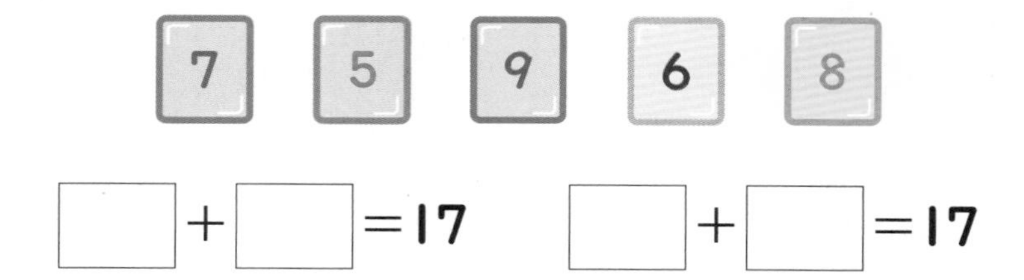

18 오른쪽 그림에서 가로 방향의 두 수의 합끼리 서로 같고, 세로 방향의 두 수의 합끼리도 서로 같아지도록 빈칸에 수를 써넣으시오.

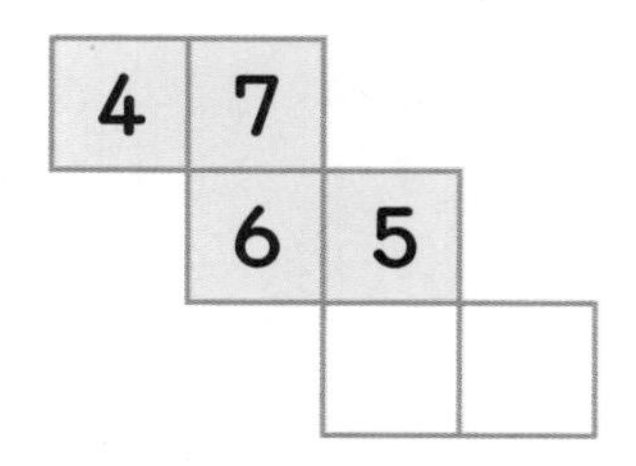

19 보기 를 참고하여 빈칸에 알맞은 수를 써넣으시오.

보기

도형 안의 빈칸에 수를 써넣는 규칙은 다음과 같습니다.

[규칙]

① 맨 위칸을 제외한 나머지 칸에는 1부터 9까지의 숫자만 씁니다.
② 아래 두 칸의 수의 합을 바로 위칸에 씁니다.
③ 가로 방향으로 놓인 수에서 오른쪽의 수는 왼쪽의 수보다 작지 않습니다.

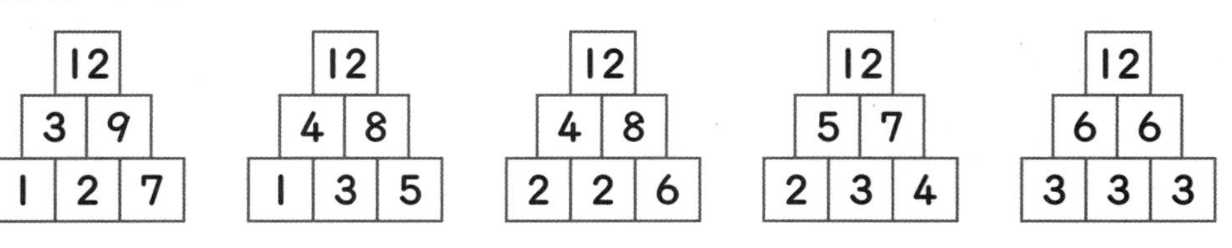

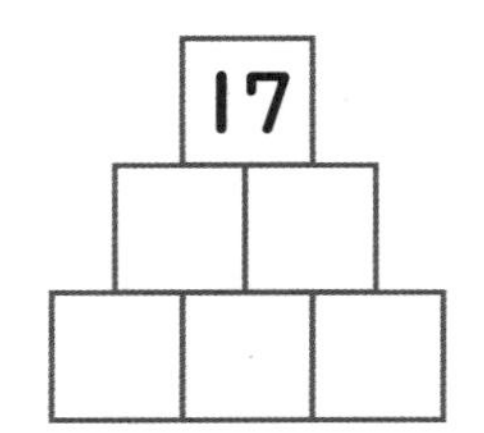

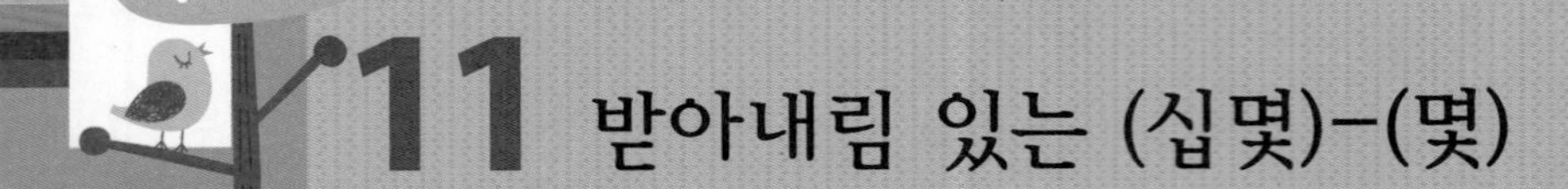

11 받아내림 있는 (십몇)-(몇)

개념

13−6의 계산

[방법 1]

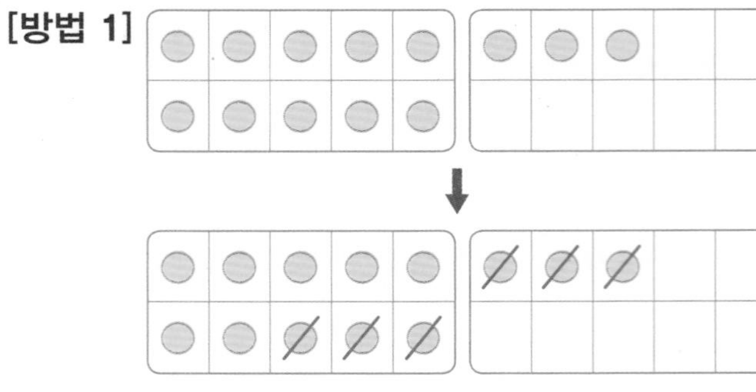

$13-6=7$ (6을 3과 3으로 가르기)

13에서 먼저 3을 뺀 다음에 다시 3을 빼면 7입니다.

[방법 2]

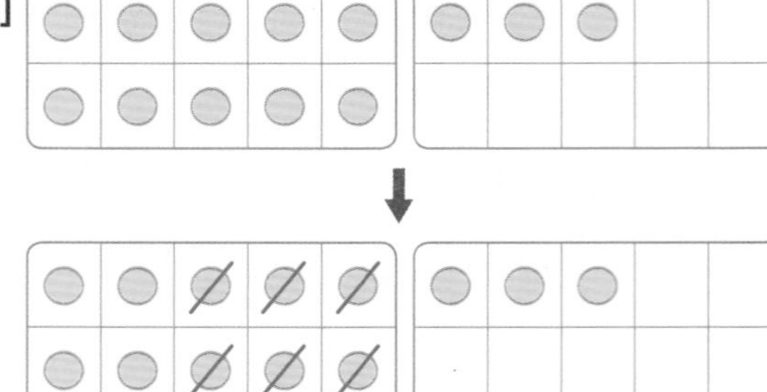

$13-6=7$ (13을 10과 3으로 가르기)

13을 10과 3으로 가르고 10에서 먼저 6을 뺀 다음 3을 더하면 7입니다.

□ 안에 알맞은 수를 써넣으시오. (01~06)

01 $12-5=\square$ (5를 □와 3으로 가르기)

02 $14-7=\square$ (7을 □와 3으로 가르기)

03 $12-6=\square$ (6을 □와 4로 가르기)

04 $15-6=\square$ (6을 □와 1로 가르기)

05 $11-4=\square$ (4를 □와 3으로 가르기)

06 $13-9=\square$ (9를 □와 6으로 가르기)

□ 안에 알맞은 수를 써넣으시오. (07~12)

07 15 − 8 = □
10 □

08 13 − 8 = □
10 □

09 12 − 7 = □
10 □

10 11 − 6 = □
10 □

11 14 − 5 = □
10 □

12 16 − 8 = □
10 □

계산을 하시오. (13~24)

13 11−5= □

14 14−5= □

15 17−9= □

16 12−8= □

17 14−6= □

18 15−7= □

19 16−9= □

20 18−9= □

21 12−9= □

22 15−6= □

23 17−8= □

24 16−7= □

Step 1

다음 식에서 □ 안에 넣을 수 있는 수는 4, 5, 6, 7, 8입니다. 이것을 참고하여 각각의 주어진 식에서 □ 안에 넣을 수 있는 수를 모두 구하시오. (01~05)

$8 - 3 > \square - 4$

01 $15 - 8 > \square - 7$

( )

02 $11 - 2 > \square - 8$

( )

03 $17 - 9 > \square - 4$

( )

04 $13 - 7 > \square - 9$

( )

05 $14 - 9 > \square - 8$

( )

다음 식에서 □ 안에 넣을 수 있는 수는 8, 9입니다. 이것을 참고하여 각각의 주어진 식에서 □ 안에 넣을 수 있는 수를 모두 구하시오. (06~10)

$5 < \square - 2 < 8$

06 $7 < \square - 3 < 12$

( )

07 $6 < \square - 5 < 10$

( )

08 $5 < \square - 4 < 11$

( )

09 $4 < 11 - \square < 10$

( )

10 $3 < 13 - \square < 8$

( )

사고력 기르기

Step 2

 다음과 같이 10장의 수 카드가 있습니다. 이 중 2장을 골라 뺄셈식을 만들려고 합니다. 물음에 답하시오. (01~04)

 12 6 14 7

8 13 15 9 16

01 두 수의 차가 9가 되는 뺄셈식을 모두 만들어 보시오.

□ − □ = 9 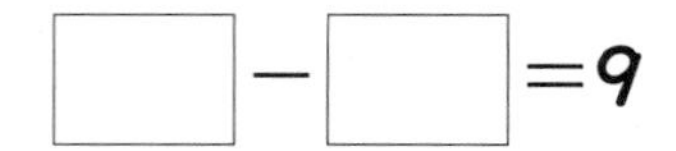 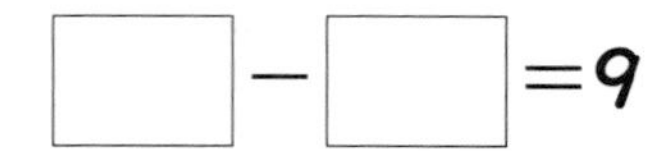

02 두 수의 차가 8이 되는 뺄셈식을 모두 만들어 보시오.

□ − □ = 8　　□ − □ = 8　　□ − □ = 8

□ − □ = 8

03 두 수의 차가 7이 되는 뺄셈식을 모두 만들어 보시오.

□ − □ = 7　　□ − □ = 7　　□ − □ = 7

□ − □ = 7　　□ − □ = 7

04 두 수의 차가 6이 되는 뺄셈식을 모두 만들어 보시오.

□ − □ = 6　　□ − □ = 6　　□ − □ = 6

□ − □ = 6

보기 를 참고하여 빈 곳에 알맞은 수를 써넣으시오. (05~08)

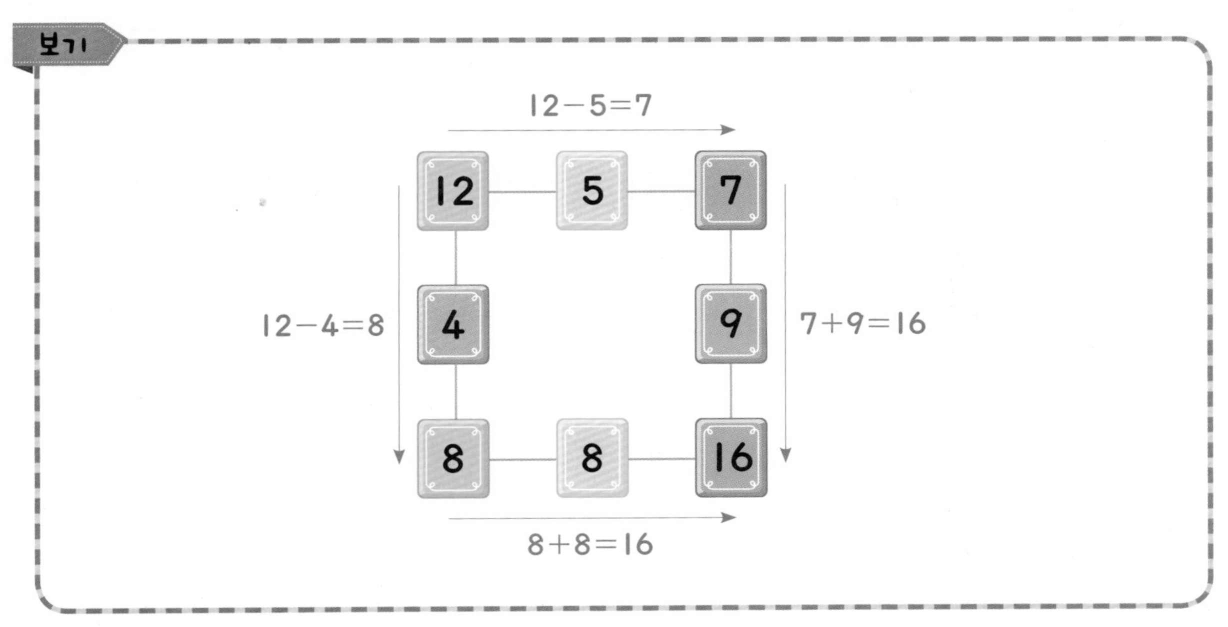

05

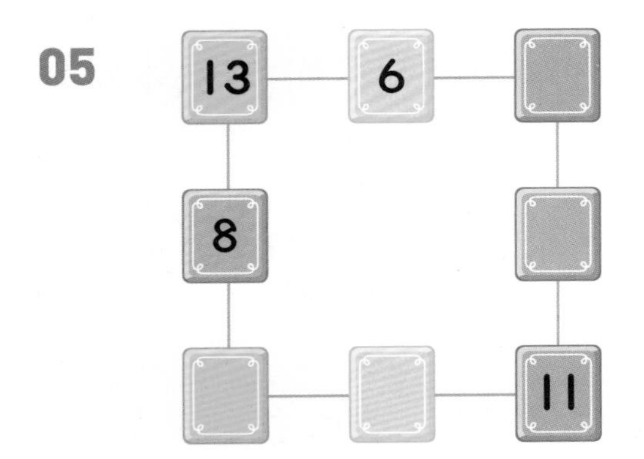

06

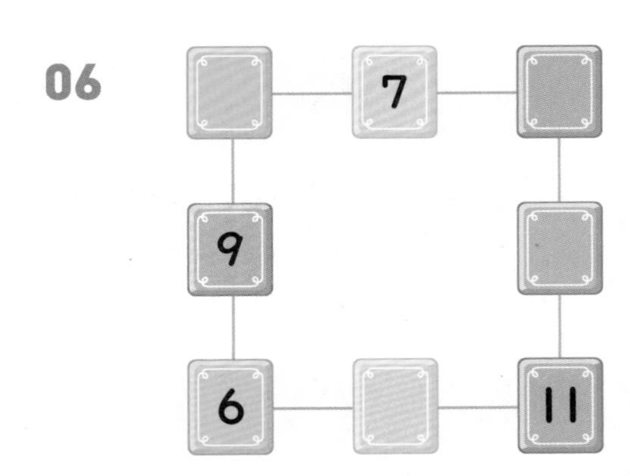

07

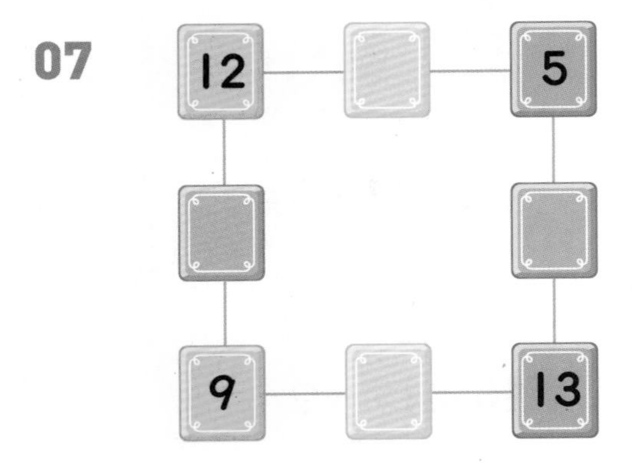

08

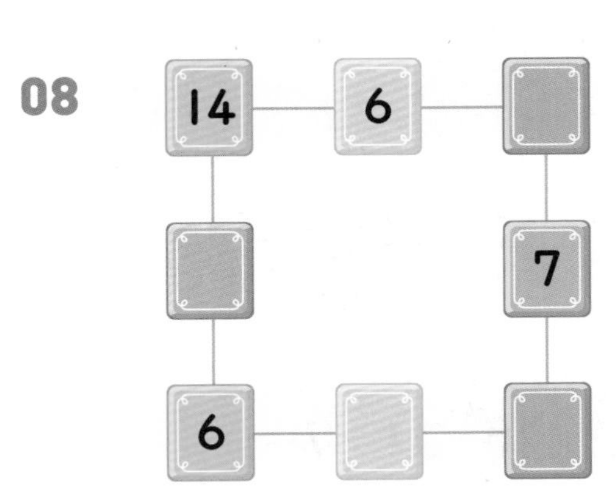

실력 점검

□ 안에 알맞은 수를 써넣으시오. (01~06)

01 $11 - 5 = \square$
(□, 4)

02 $18 - 9 = \square$
(□, 1)

03 $16 - 7 = \square$
(□, 1)

04 $12 - 3 = \square$
(10, □)

05 $13 - 8 = \square$
(10, □)

06 $14 - 7 = \square$
(10, □)

계산을 하시오. (07~16)

07 $11-8=\square$

08 $12-6=\square$

09 $16-9=\square$

10 $11-2=\square$

11 $15-8=\square$

12 $13-9=\square$

13 $14-5=\square$

14 $17-8=\square$

15 $11-7=\square$

16 $17-9=\square$

□ 안에 넣을 수 있는 수를 모두 구하시오. (17~19)

17 $12 - 5 > \square - 3$ ( )

18 $16 - 8 > \square - 9$ ( )

19 $5 < \square - 6 < 9$ ( )

20 다음과 같이 6장의 수 카드가 있습니다. 이 중 2장을 골라 차가 8이 되는 뺄셈식을 만들어 보시오.

4 14 12 5 16 6

$\square - \square = 8$ $\square - \square = 8$

21 보기 를 참고하여 빈 곳에 알맞은 수를 써넣으시오.

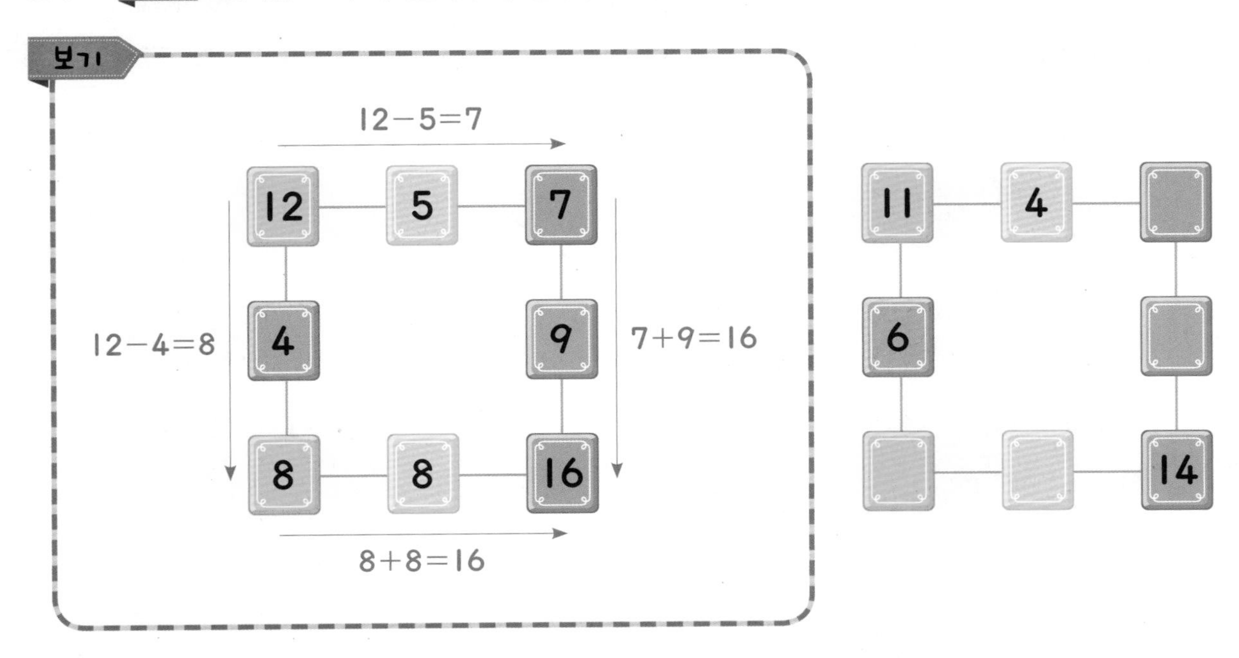

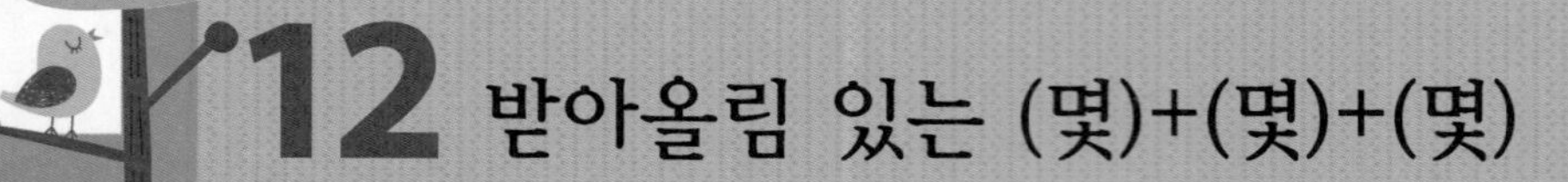

12 받아올림 있는 (몇)+(몇)+(몇)

개념

1. 7+9+2의 계산

$7+9+2=18$

7+9 → 16, 16+2 → 18

$$\begin{array}{r} 7 \\ +\ 9 \\ \hline 16 \end{array} \rightarrow \begin{array}{r} 16 \\ +\ 2 \\ \hline 18 \end{array}$$

2. 2+5+8의 계산

$2+5+8=15$

2+5 → 7, 7+8 → 15

$$\begin{array}{r} 2 \\ +\ 5 \\ \hline 7 \end{array} \rightarrow \begin{array}{r} 7 \\ +\ 8 \\ \hline 15 \end{array}$$

□ 안에 알맞은 수를 써넣으시오. (01~06)

01 $6+5+3=$ □ (6+5 → □, □+3 → □)

02 $7+8+1=$ □ (7+8 → □, □+1 → □)

03 $7+8+3=$ □ (7+8 → □, □+3 → □)

04 $7+5+6=$ □ (7+5 → □, □+6 → □)

05 $4+3+8=$ □ (4+3 → □, □+8 → □)

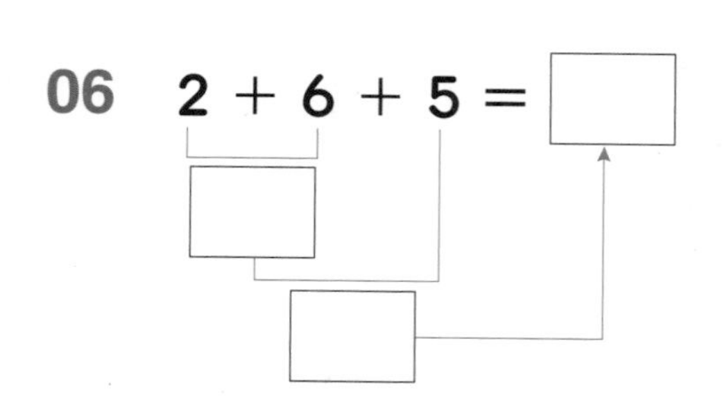

06 $2+6+5=$ □ (2+6 → □, □+5 → □)

□ 안에 알맞은 수를 써넣으시오. (07~10)

07 $4 + 6 + 2 = \square$

$$\begin{array}{r} 4 \\ +\ 6 \\ \hline \square \end{array} \quad \rightarrow \quad \begin{array}{r} \square \\ +\ 2 \\ \hline \square \end{array}$$

08 $8 + 7 + 2 = \square$

$$\begin{array}{r} 8 \\ +\ 7 \\ \hline \square \end{array} \quad \rightarrow \quad \begin{array}{r} \square \\ +\ 2 \\ \hline \square \end{array}$$

09 $1 + 5 + 6 = \square$

$$\begin{array}{r} 1 \\ +\ 5 \\ \hline \square \end{array} \quad \rightarrow \quad \begin{array}{r} \square \\ +\ 6 \\ \hline \square \end{array}$$

10 $2 + 4 + 8 = \square$

$$\begin{array}{r} 2 \\ +\ 4 \\ \hline \square \end{array} \quad \rightarrow \quad \begin{array}{r} \square \\ +\ 8 \\ \hline \square \end{array}$$

계산을 하시오. (11~20)

11 $2+9+7=\square$

12 $6+5+4=\square$

13 $8+8+3=\square$

14 $9+2+6=\square$

15 $3+4+7=\square$

16 $5+3+9=\square$

17 $7+1+8=\square$

18 $5+7+4=\square$

19 $9+8+1=\square$

20 $6+6+7=\square$

사고력 기르기

Step 1

보기 를 참고하여 세 수의 덧셈식을 만들어 보시오. (단, 0은 더하지 않기로 합니다.) (01~05)

보기

8+□+□=15를 만족하는 세 수의 덧셈식은 다음과 같습니다.

8 + [1] + [6] = 15   8 + [2] + [5] = 15

8 + [3] + [4] = 15

단, 8+1+6=15와 8+6+1=15는 같은 덧셈식으로 생각합니다.

01 7+□+□=12   7+□+□=12

02 5+□+□=11   5+□+□=11   5+□+□=11

03 □+4+□=13   □+4+□=13

□+4+□=13   □+4+□=13

04 □+6+□=14   □+6+□=14

□+6+□=14   □+6+□=14

05 □+□+5=15   □+□+5=15   □+□+5=15

□+□+5=15   □+□+5=15

2부터 9까지의 수 중 서로 다른 세 수의 합이 12가 되는 경우는 다음과 같습니다.

2+3+7=12　　2+4+6=12　　3+4+5=12

단, [가]+[나]+[다]=[라]에서 [가]<[나]<[다]인 경우만 구합니다. 이와 같은 방법으로 2부터 9까지의 수 중 서로 다른 세 수를 □ 안에 써넣어 덧셈식을 완성하시오. (06~09)

06

□+□+□=13　　□+□+□=13

□+□+□=13　　□+□+□=13

07

□+□+□=14　　□+□+□=14

□+□+□=14　　□+□+□=14

□+□+□=14

08

□+□+□=16　　□+□+□=16

□+□+□=16　　□+□+□=16

□+□+□=16　　□+□+□=16

09

□+□+□=17　　□+□+□=17

□+□+□=17　　□+□+□=17

□+□+□=17　　□+□+□=17

다음 그림에서 △ 모양 안의 수들의 합과 ○ 모양 안의 수들의 합은 각각 8로 같습니다. 물음에 답하시오. (01~04)

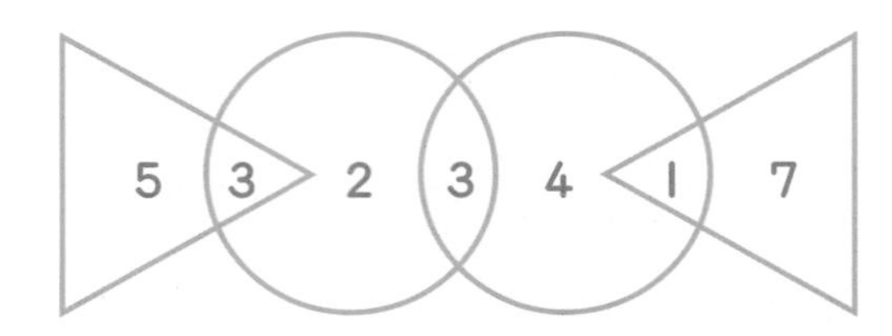

01 △ 모양 안의 수들의 합과 ○ 모양 안의 수들의 합이 각각 14가 되도록 빈 곳에 수를 써넣으시오.

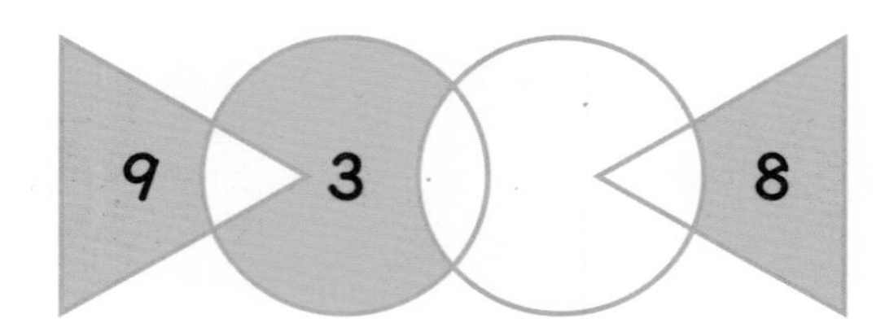

02 △ 모양 안의 수들의 합과 ○ 모양 안의 수들의 합이 각각 15가 되도록 빈 곳에 수를 써넣으시오.

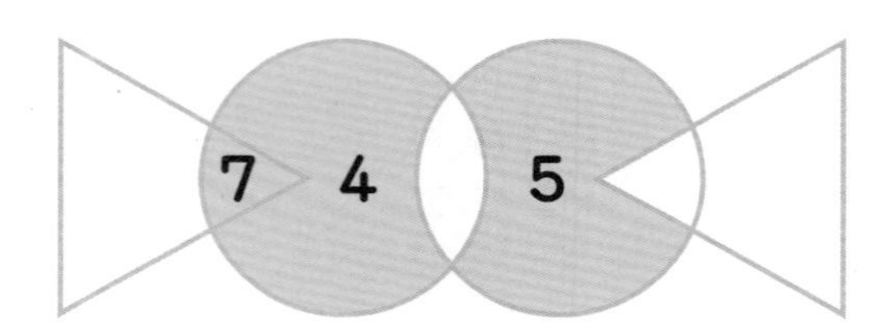

03 △ 모양 안의 수들의 합과 ○ 모양 안의 수들의 합이 각각 17이 되도록 빈 곳에 수를 써넣으시오.

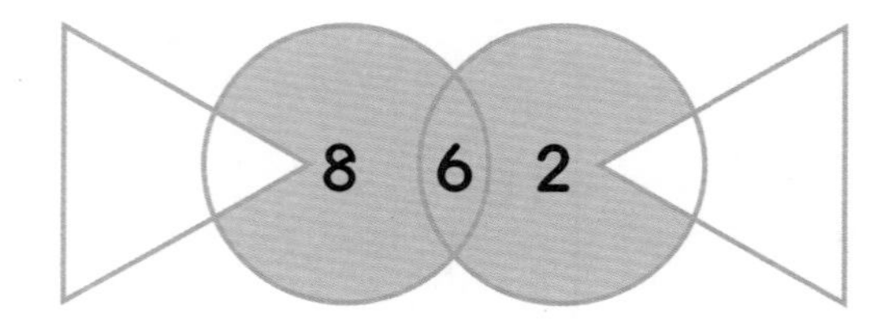

04 △ 모양 안의 수들의 합과 ○ 모양 안의 수들의 합이 각각 19가 되도록 빈 곳에 수를 써넣으시오.

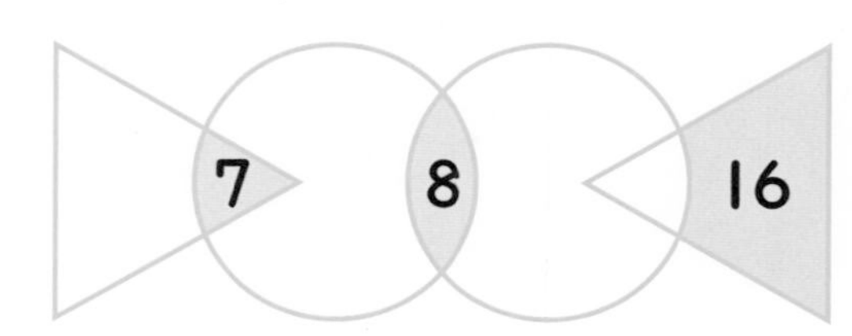

보기 에서 규칙을 찾아 그와 같은 규칙으로 빈 곳에 알맞은 수를 써넣으시오.

(05~08)

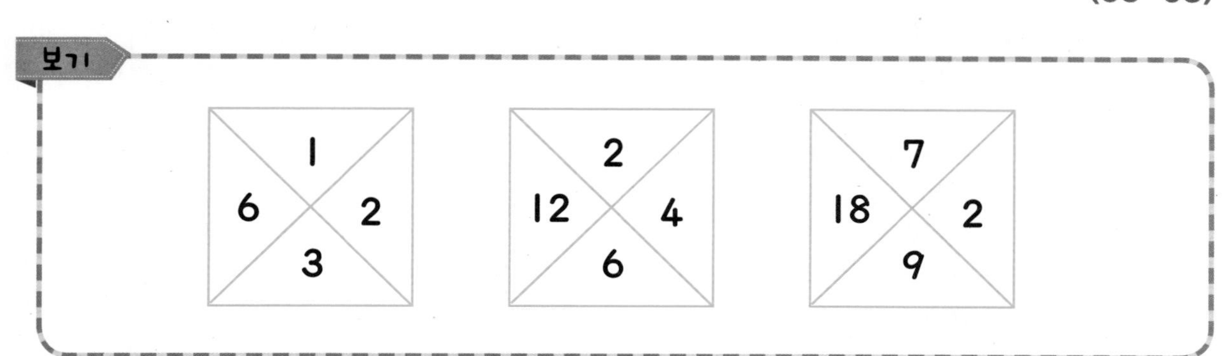

05

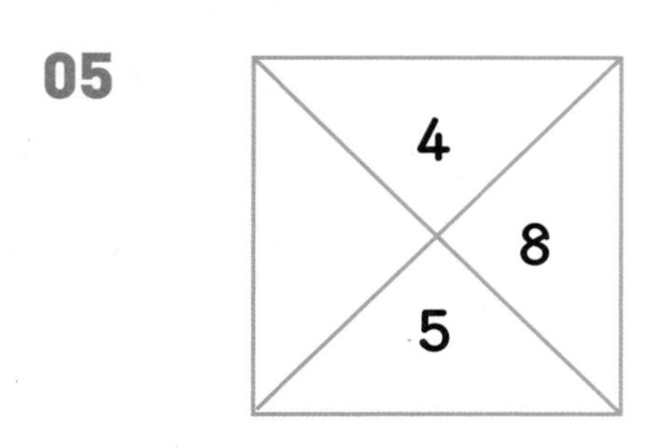

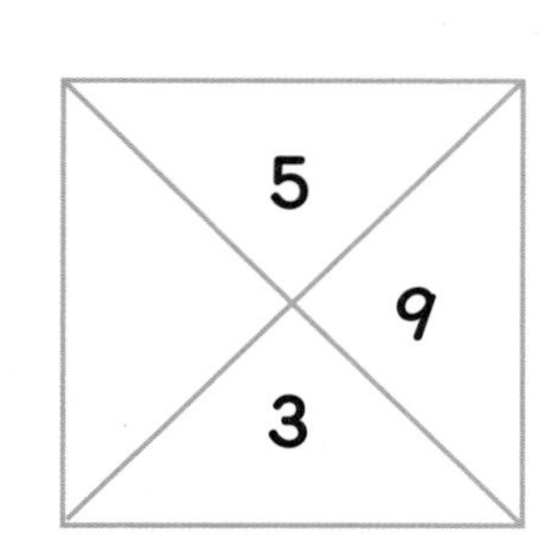

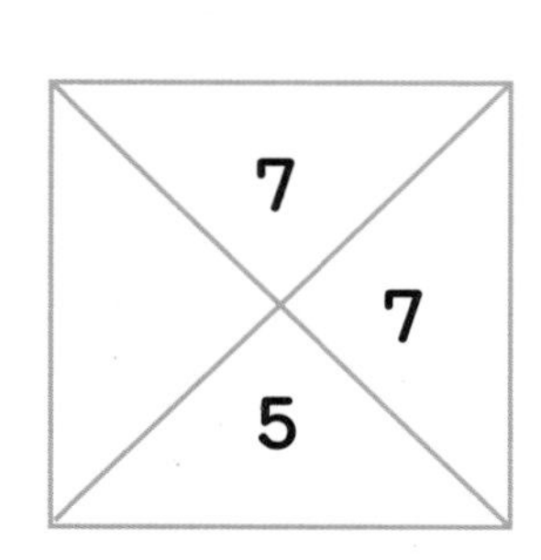

06

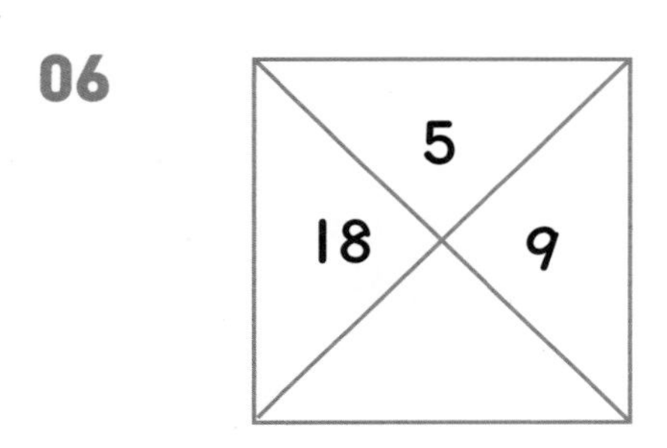

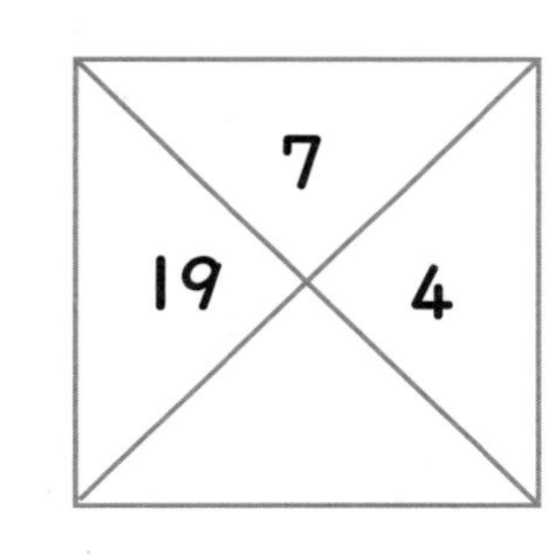

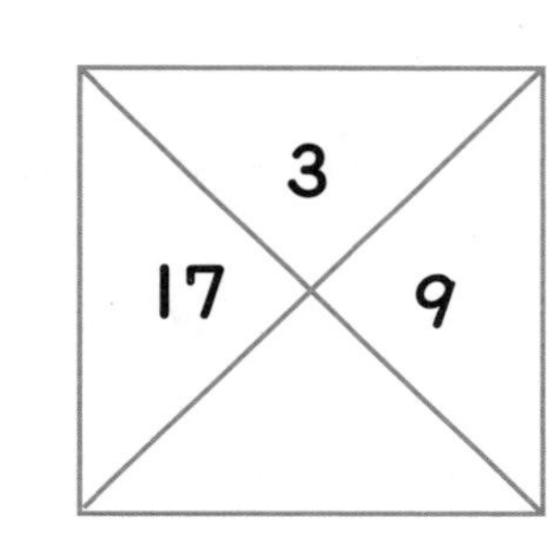

07

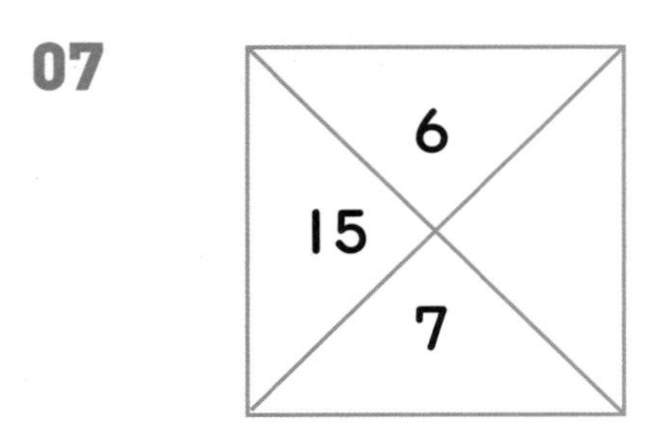

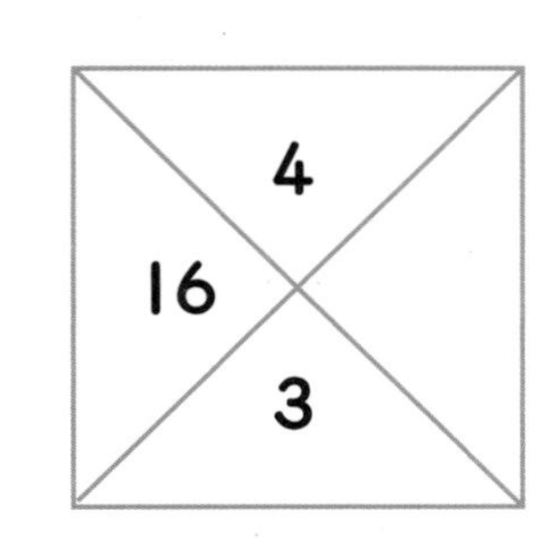

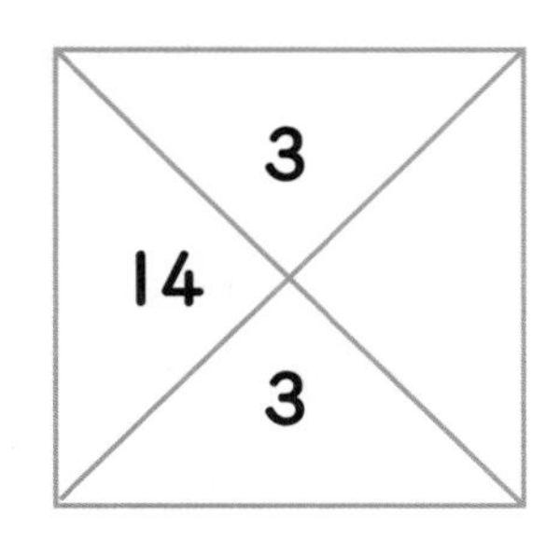

08

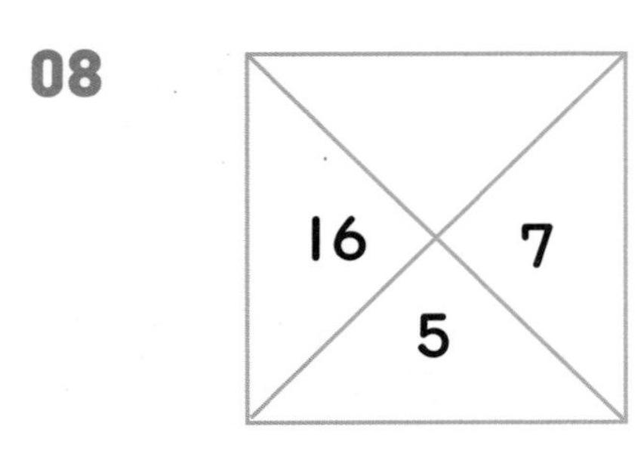

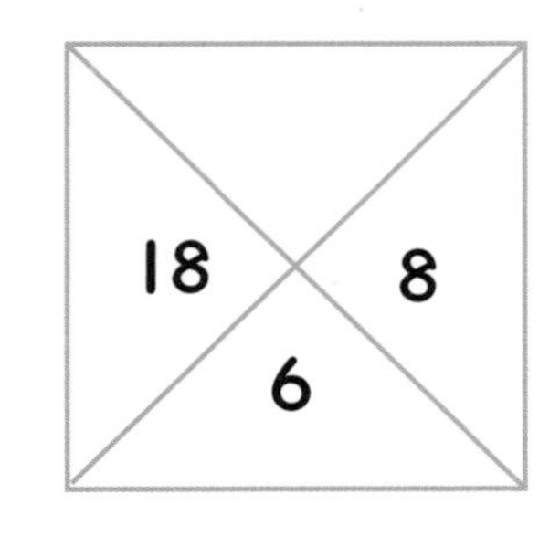

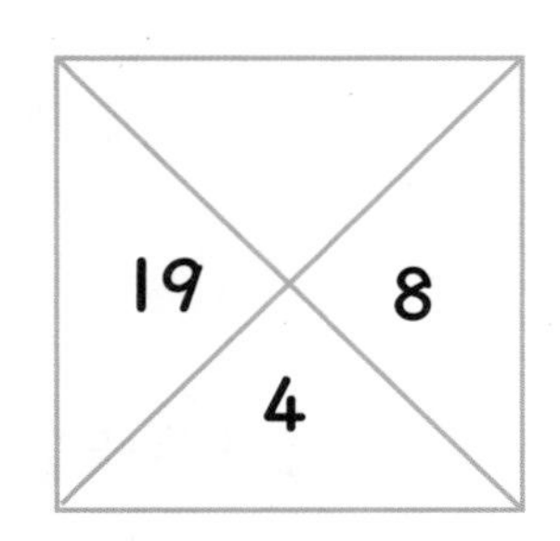

실력 점검

□ 안에 알맞은 수를 써넣으시오. (01~04)

01 $5 + 7 + 2 = \square$

02 $6 + 3 + 8 = \square$

03 $4 + 9 + 3 = \square$

$$\begin{array}{r} 4 \\ +\ 9 \\ \hline \square \end{array} \qquad \begin{array}{r} \square \\ +\ 3 \\ \hline \square \end{array}$$

04 $3 + 5 + 7 = \square$

$$\begin{array}{r} 3 \\ +\ 5 \\ \hline \square \end{array} \qquad \begin{array}{r} \square \\ +\ 7 \\ \hline \square \end{array}$$

계산을 하시오. (05~14)

05 $4+5+7=\square$

06 $6+5+8=\square$

07 $1+6+9=\square$

08 $2+5+9=\square$

09 $8+3+4=\square$

10 $3+6+9=\square$

11 $7+5+7=\square$

12 $1+8+5=\square$

13 $6+7+2=\square$

14 $9+3+5=\square$

15 보기 를 참고하여 세 수의 덧셈식을 만들어 보시오. (단, 0은 더하지 않기로 합니다.)

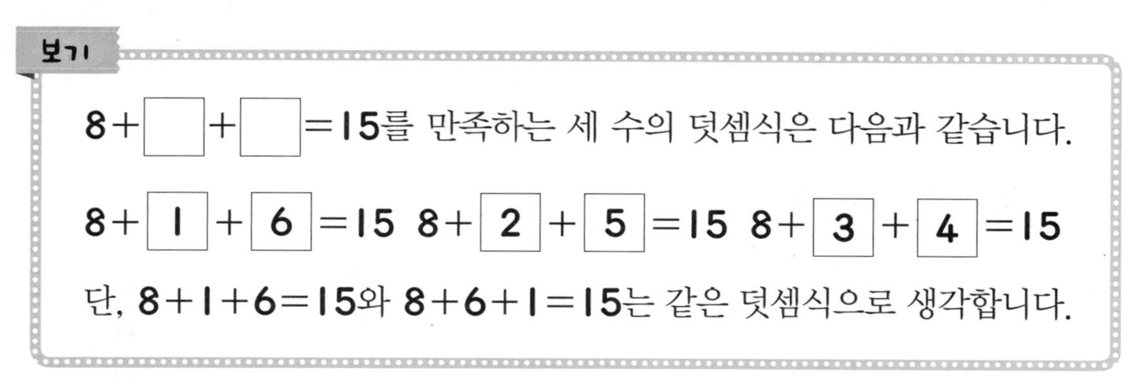
보기

$8+\square+\square=15$를 만족하는 세 수의 덧셈식은 다음과 같습니다.

$8+\boxed{1}+\boxed{6}=15$ $8+\boxed{2}+\boxed{5}=15$ $8+\boxed{3}+\boxed{4}=15$

단, $8+1+6=15$와 $8+6+1=15$는 같은 덧셈식으로 생각합니다.

$8+\square+\square=14$ $8+\square+\square=14$ $8+\square+\square=14$

16 다음 그림에서 △ 모양 안의 수들의 합과 ○ 모양 안의 수들의 합은 각각 8로 같습니다. 이것을 참고하여 △ 모양 안의 수들의 합과 ○ 모양 안의 수들의 합이 각각 16이 되도록 빈 곳에 수를 써넣으시오.

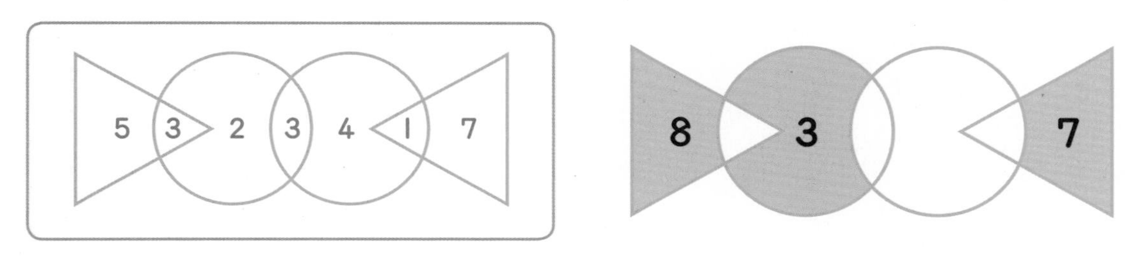

17 다음에서 규칙을 찾아 그와 같은 규칙으로 빈 곳에 알맞은 수를 써넣으시오.

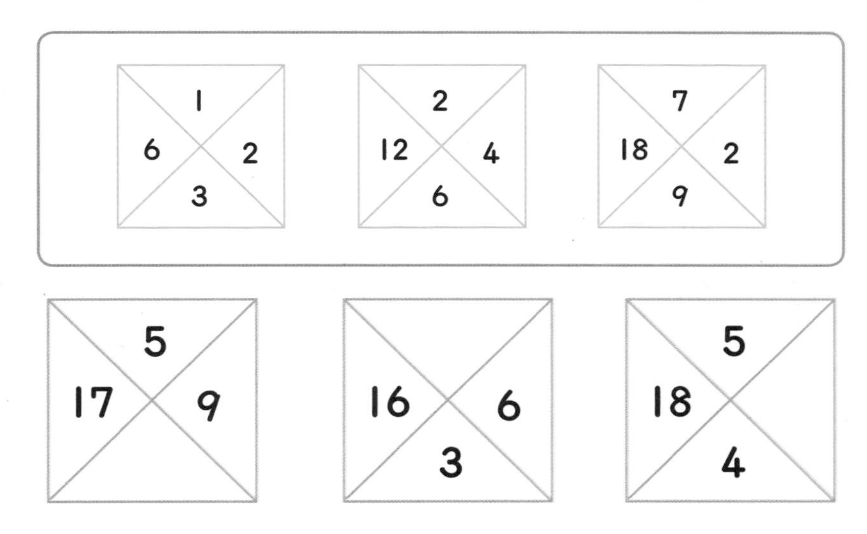

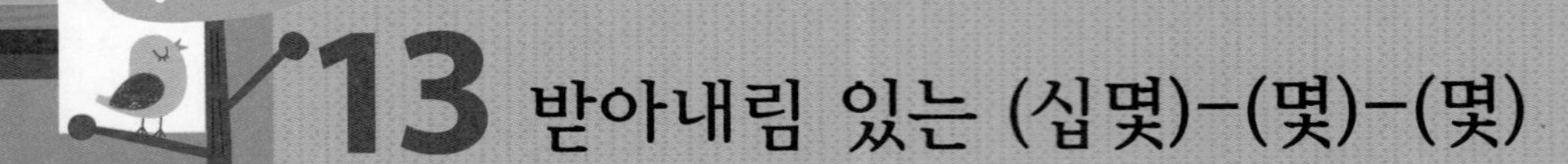

13 받아내림 있는 (십몇)-(몇)-(몇)

개념

1. 12−7−2의 계산

$12 - 7 - 2 = 3$

$12 - 7 = 5$, $5 - 2 = 3$

$$\begin{array}{r} 12 \\ -\ 7 \\ \hline 5 \end{array} \rightarrow \begin{array}{r} 5 \\ -\ 2 \\ \hline 3 \end{array}$$

2. 15−2−6의 계산

$15 - 2 - 6 = 7$

$15 - 2 = 13$, $13 - 6 = 7$

$$\begin{array}{r} 15 \\ -\ 2 \\ \hline 13 \end{array} \rightarrow \begin{array}{r} 13 \\ -\ 6 \\ \hline 7 \end{array}$$

세 수의 뺄셈은 앞에서부터 차례대로 계산합니다.

□ 안에 알맞은 수를 써넣으시오. (01~06)

01 $13 - 6 - 2 = \square$

02 $16 - 9 - 1 = \square$

03 $18 - 6 - 9 = \square$

04 $15 - 3 - 6 = \square$

05 $12 - 5 - 3 = \square$

06 $11 - 2 - 8 = \square$

□ 안에 알맞은 수를 써넣으시오. (07~10)

07 $14 - 7 - 2 = \square$

$$\begin{array}{r} 14 \\ -\ \ 7 \\ \hline \square \end{array} \quad \begin{array}{r} \square \\ -\ \ 2 \\ \hline \square \end{array}$$

08 $15 - 8 - 2 = \square$

$$\begin{array}{r} 15 \\ -\ \ 8 \\ \hline \square \end{array} \quad \begin{array}{r} \square \\ -\ \ 2 \\ \hline \square \end{array}$$

09 $16 - 5 - 4 = \square$

$$\begin{array}{r} 16 \\ -\ \ 5 \\ \hline \square \end{array} \quad \begin{array}{r} \square \\ -\ \ 4 \\ \hline \square \end{array}$$

10 $18 - 7 - 5 = \square$

$$\begin{array}{r} 18 \\ -\ \ 7 \\ \hline \square \end{array} \quad \begin{array}{r} \square \\ -\ \ 5 \\ \hline \square \end{array}$$

계산을 하시오. (11~20)

11 $14-8-2=\square$

12 $16-2-9=\square$

13 $16-9-3=\square$

14 $15-4-8=\square$

15 $13-6-5=\square$

16 $17-5-7=\square$

17 $14-5-5=\square$

18 $19-8-4=\square$

19 $12-9-2=\square$

20 $18-7-5=\square$

사고력 기르기

Step 1

□ 안에 알맞은 수를 써넣으시오. (01~10)

01 $\square-4=16-3-5$

02 $\square-5=15-2-4$

03 $\square-3=14-5-1$

04 $\square-6=18-3-8$

05 $17-4-5=\square-7$

06 $15-6-1=\square-6$

07 $\square-7-2=9$

08 $\square-5-3=8$

09 $\square-5-3=7$

10 $\square-4-5=6$

같은 모양은 같은 수를 나타냅니다. 모양에 알맞은 수를 구하시오. (11~14)

11 15 − ♥ − ♥ = 3　　♥ = □

12 16 − ▲ − ▲ = 2　　▲ = □

13 17 − ● − ● = 1　　● = □

14 12 − ■ − ■ = 4　　■ = □

주어진 조건을 보고 도형이 나타내는 수를 구하시오. (단, 같은 모양은 같은 수를 나타냅니다.) (15~19)

15

15－■－■＝5
■＋7＝▲
▲－2－4＝●

●＝□

16

14－▲－▲＝6
▲＋9＝■
■－5－1＝●

●＝□

17

13－●－●＝3
●＋8＝▲
▲－2－8＝■

■＝□

18

16－■－■＝4
7＋■＝●
●－4－4＝▲

▲＝□

19

11－●－●＝5
9＋●＝■
■－5－6＝▲

▲＝□

사고력 기르기

Step 2

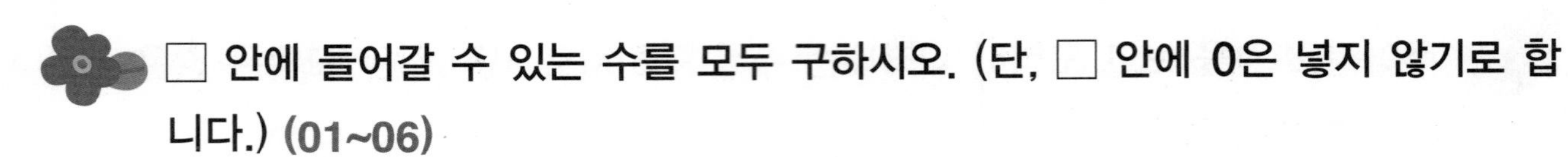

□ 안에 들어갈 수 있는 수를 모두 구하시오. (단, □ 안에 0은 넣지 않기로 합니다.) (01~06)

01 $17 - 8 - \square > 4$

( )

02 $13 - 4 - \square > 3$

( )

03 $11 - 3 - \square > 5$

( )

04 $14 - 7 - \square > 3$

( )

05 $2 < 12 - 3 - \square$

( )

06 $1 < 16 - 9 - \square$

( )

보기 와 같은 방법으로 □ 안에 0이 아닌 수를 넣어 여러 가지 뺄셈식을 만들어 보시오. (07~11)

보기

8－[1]－[2]＝5　　8－[2]－[1]＝5

07 12－□－□＝9　　12－□－□＝9

08 11－□－□＝7　　11－□－□＝9

11－□－□＝7

09 13－□－□＝8　　13－□－□＝8

13－□－□＝8　　13－□－□＝8

10 14－□－□＝7　　14－□－□＝7

14－□－□＝7　　14－□－□＝7

14－□－□＝7　　14－□－□＝7

11 12－□－□＝6　　12－□－□＝6

12－□－□＝6　　12－□－□＝6

12－□－□＝6

실력 점검

□ 안에 알맞은 수를 써넣으시오. (01~04)

01 $17 - 9 - 2 = \square$

02 $15 - 3 - 6 = \square$

03 $14 - 6 - 2 = \square$

$$\begin{array}{r} 14 \\ -\ \ 6 \\ \hline \square \end{array} \qquad \begin{array}{r} \square \\ -\ \ 2 \\ \hline \square \end{array}$$

04 $16 - 2 - 7 = \square$

$$\begin{array}{r} 16 \\ -\ \ 2 \\ \hline \square \end{array} \qquad \begin{array}{r} \square \\ -\ \ 7 \\ \hline \square \end{array}$$

계산을 하시오. (05~14)

05 $13-6-5=\square$

06 $14-1-8=\square$

07 $17-9-1=\square$

08 $15-4-3=\square$

09 $14-8-3=\square$

10 $16-5-4=\square$

11 $16-7-4=\square$

12 $19-7-9=\square$

13 $11-3-5=\square$

14 $18-6-6=\square$

실력 점검

□ 안에 알맞은 수를 써넣으시오. (15~16)

15 $\square-8=13-4-2$

16 $\square-5=17-8-1$

같은 모양은 같은 수를 나타냅니다. 모양에 알맞은 수를 구하시오. (17~18)

17

$14-♥-♥=4$

$♥=\square$

18

$12-■-■=6$

$■+9=▲$

$▲-4-3=●$

$●=\square$

19 □ 안에 들어갈 수 있는 수를 모두 구하시오. (단, □ 안에 0은 넣지 않기로 합니다.)

$15-8-\square>2$ (   )

20 보기 와 같은 방법으로 □ 안에 0이 아닌 수를 넣어 여러 가지 뺄셈식을 만들어 보시오.

보기

$8-\boxed{1}-\boxed{2}=5$ $8-\boxed{2}-\boxed{1}=5$

$13-\square-\square=7$ $13-\square-\square=7$

$13-\square-\square=7$ $13-\square-\square=7$

$13-\square-\square=7$

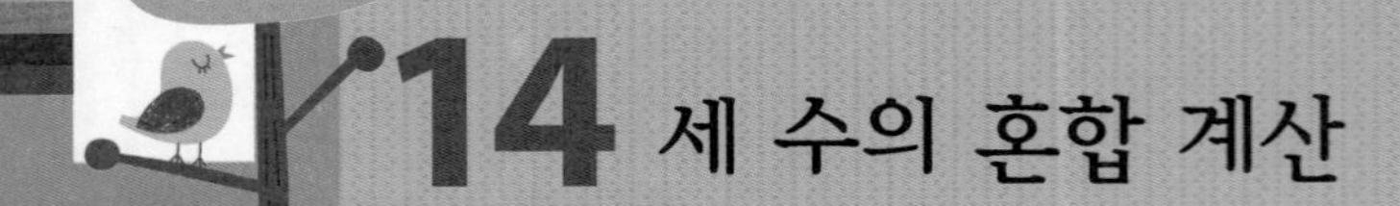

14 세 수의 혼합 계산

개념

1. 9+4−3의 계산

$9 + 4 - 3 = 10$

$9 + 4 = 13$, $13 - 3 = 10$

$$\begin{array}{r} 9 \\ +\ 4 \\ \hline 13 \end{array} \quad \rightarrow \quad \begin{array}{r} 13 \\ -\ 3 \\ \hline 10 \end{array}$$

2. 12−7+3의 계산

$12 - 7 + 3 = 8$

$12 - 7 = 5$, $5 + 3 = 8$

$$\begin{array}{r} 12 \\ -\ 7 \\ \hline 5 \end{array} \quad \rightarrow \quad \begin{array}{r} 5 \\ +\ 3 \\ \hline 8 \end{array}$$

세 수의 혼합 계산은 앞에서부터 차례대로 계산합니다.

□ 안에 알맞은 수를 써넣으시오. (01~03)

01 $6 + 5 - 2 = \square$

$6 + 5 = \square$, $\square - 2 = \square$

$$\begin{array}{r} 6 \\ +\ 5 \\ \hline \square \end{array} \quad \rightarrow \quad \begin{array}{r} \square \\ -\ 2 \\ \hline \square \end{array}$$

02 $8 + 4 - 5 = \square$

$8 + 4 = \square$, $\square - 5 = \square$

$$\begin{array}{r} 8 \\ +\ 4 \\ \hline \square \end{array} \quad \rightarrow \quad \begin{array}{r} \square \\ -\ 5 \\ \hline \square \end{array}$$

03 $9 + 4 - 7 = \square$

$9 + 4 = \square$, $\square - 7 = \square$

$$\begin{array}{r} 9 \\ +\ 4 \\ \hline \square \end{array} \quad \rightarrow \quad \begin{array}{r} \square \\ -\ 7 \\ \hline \square \end{array}$$

□ 안에 알맞은 수를 써넣으시오. (04~06)

04 $11 - 8 + 3 = \square$

$$\begin{array}{r} 11 \\ -\ \ 8 \\ \hline \square \end{array} \rightarrow \begin{array}{r} \square \\ +\ \ 3 \\ \hline \square \end{array}$$

05 $14 - 5 + 3 = \square$

$$\begin{array}{r} 14 \\ -\ \ 5 \\ \hline \square \end{array} \rightarrow \begin{array}{r} \square \\ +\ \ 3 \\ \hline \square \end{array}$$

06 $15 - 8 + 5 = \square$

$$\begin{array}{r} 15 \\ -\ \ 8 \\ \hline \square \end{array} \rightarrow \begin{array}{r} \square \\ +\ \ 5 \\ \hline \square \end{array}$$

계산을 하시오. (07~14)

07 $8+5-3=\square$

08 $14-7+5=\square$

09 $9+6-7=\square$

10 $13-6+2=\square$

11 $4+8-3=\square$

12 $12-5+9=\square$

13 $9+8-5=\square$

14 $13-6+5=\square$

Step 1

보기 와 같은 방법으로 ♥ 에 알맞은 수를 구하시오. (01~06)

보기

$3+5-\heartsuit=2$

$8-\heartsuit=2$

$\heartsuit=8-2=6$

01 $9+5-\heartsuit=6$

02 $8+7-\heartsuit=9$

03 $11+3-\heartsuit=5$

04 $6+5-\heartsuit=3$

05 $4+8-\heartsuit=7$

06 $15+2-\heartsuit=8$

▲에 알맞은 수를 구하시오. (07~10)

07 $9-3+▲=11$ ▲= □

08 $12-8+▲=13$ ▲= □

09 $13-5+▲=16$ ▲= □

10 $15-9+▲=12$ ▲= □

○ 안에 +, −를 알맞게 써넣어 식이 성립하도록 하시오. (11~18)

11 8 ○ 5 ○ 9 = 4

12 6 ○ 7 ○ 4 = 9

13 13 ○ 6 ○ 7 = 14

14 7 ○ 2 ○ 8 = 13

15 4 ○ 7 ○ 5 = 6

16 9 ○ 3 ○ 5 = 7

17 6 ○ 1 ○ 8 = 13

18 11 ○ 2 ○ 3 = 12

사고력 기르기

Step 2

보기 를 참고하여 도형에 알맞은 수를 구하시오. (01~07)

보기

△+3−2=6에서 밑줄 친 △+3의 값은 8이어야 식이 성립합니다. 따라서 △=5입니다.

01 ☆+5−9=8 ☆=□

02 ■+3−6=5 ■=□

03 △+4−7=6 △=□

04 ●+6−5=8 ●=□

05 ♥−5+8=14 ♥=□

06 △−3+4=13 △=□

07 ■−7+7=14 ■=□

보기 와 같이 □ 안에 0이 아닌 숫자를 써넣어 여러 가지 혼합 계산식을 만들어 보시오. (08~12)

보기

[9] − [3] + 5 = 11　　[8] − [2] + 5 = 11　　[7] − [1] + 5 = 11

08 □ − □ + 6 = 13　　□ − □ + 6 = 13

09 □ − □ + 5 = 12　　□ − □ + 5 = 12

10 □ − □ + 8 = 14　　□ − □ + 8 = 14

□ − □ + 8 = 14

11 □ − □ + 9 = 14　　□ − □ + 9 = 14

□ − □ + 9 = 14　　□ − □ + 9 = 14

12 □ − □ + 7 = 11　　□ − □ + 7 = 11

□ − □ + 7 = 11　　□ − □ + 7 = 11

□ − □ + 7 = 11

실력 점검

□ 안에 알맞은 수를 써넣으시오. (01~02)

01 $3 + 8 - 2 = \square$

$3 + 8 = \square$, $\square - 2 = \square$

02 $11 - 7 + 3 = \square$

$11 - 7 = \square$, $\square + 3 = \square$

계산을 하시오. (03~14)

03 $6+8-4=\square$

04 $13-6+5=\square$

05 $5+9-6=\square$

06 $14-8+2=\square$

07 $6+7-1=\square$

08 $16-7+6=\square$

09 $5+8-6=\square$

10 $15-9+3=\square$

11 $9+8-7=\square$

12 $11-5+6=\square$

13 $4+9-5=\square$

14 $14-6+5=\square$

실력 점검

보기 와 같은 방법으로 ♡에 알맞은 수를 구하시오. (15~16)

보기

$3+5-♡=2$

$8-♡=2$

$♡=8-2=6$

15 $6+9-♡=9$

16 $12+5-♡=8$

○ 안에 +, −를 알맞게 써넣어 식이 성립하도록 하시오. (17~18)

17 5 ○ 7 ○ 6 = 6

18 12 ○ 5 ○ 4 = 11

19 보기 와 같이 □ 안에 0이 아닌 숫자를 써넣어 여러 가지 혼합 계산식을 만들어 보시오.

보기

[9] − [3] + 5 = 11 [8] − [2] + 5 = 11 [7] − [1] + 5 = 11

□ − □ + 7 = 12 □ − □ + 7 = 12

□ − □ + 7 = 12 □ − □ + 7 = 12

Memo

정답 및 해설

1학년

개념 01 받아올림 없는 (몇)+(몇) | 4쪽

01	3	02	5
03	4	04	7
05	9	06	8
07	8	08	9
09	9	10	6
11	6	12	8
13	8	14	7
15	9	16	3
17	3	18	4
19	1	20	3
21	3	22	2
23	3	24	2
25	6	26	2
27	7	28	4
29	4	30	3
31	3	32	3
33	1	34	2
35	4	36	2
37	4	38	2
39	4		

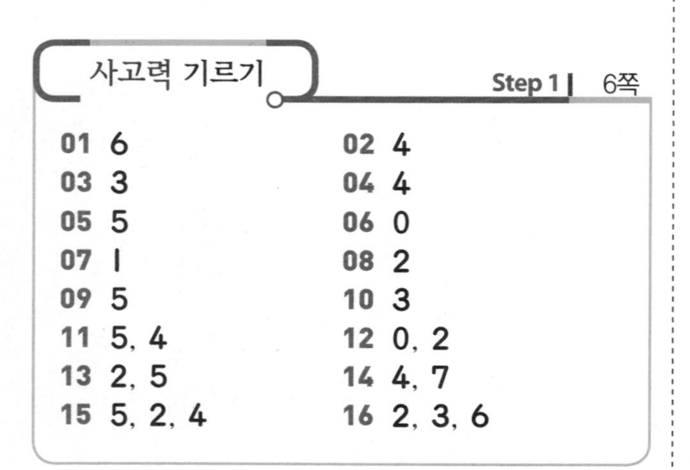

사고력 기르기 Step 1 | 6쪽

01	6	02	4
03	3	04	4
05	5	06	0
07	1	08	2
09	5	10	3
11	5, 4	12	0, 2
13	2, 5	14	4, 7
15	5, 2, 4	16	2, 3, 6

사고력 기르기 Step 2 | 8쪽

01	2, 5 / 5	02	5, 3 / 4
03	3 / 2, 1	04	7 / 1, 1
05	9 / 4 / 3	06	5 / 3, 1
07	2, 6 / 0	08	5, 4 / 0

09 2 + 2 = 4

10 3 + 2 = 5

11 4 + 5 = 9

12 2 + 5 = 7

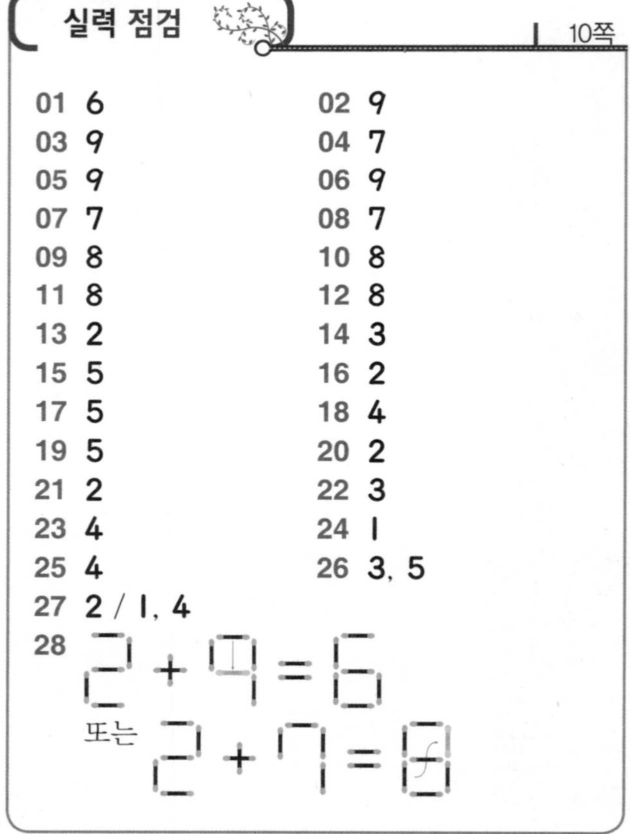

실력 점검 | 10쪽

01	6	02	9
03	9	04	7
05	9	06	9
07	7	08	7
09	8	10	8
11	8	12	8
13	2	14	3
15	5	16	2
17	5	18	4
19	5	20	2
21	2	22	3
23	4	24	1
25	4	26	3, 5
27	2 / 1, 4		

28 2 + 4 = 6

또는 2 + 7 = 9

개념 02 받아내림 없는 (몇)-(몇) | 12쪽

01 4 02 3
03 1 04 2
05 2 06 3
07 2 08 2
09 4 10 5
11 1 12 3
13 6 14 4
15 2 16 5
17 7 18 5
19 5 20 8
21 8 22 0
23 2 24 2
25 2 26 3
27 9 28 2
29 3 30 4
31 9 32 8
33 6 34 −, =
35 −, = 36 −, =
37 −, = 38 =, −
39 =, − 40 =, −
41 =, −

사고력 기르기 Step 1 | 14쪽

01 9 02 7
03 5 04 2
05 3 06 7
07 7, 1 08 5, 3
09 9, 5, 4 10 6, 2, 1
11 8, 3, 2 12 3, 6, 8
13 2, 6, 9 14 8, 6, 5
15 5, 3, 6

사고력 기르기 Step 2 | 16쪽

01 5, 1 / 4 02 6 / 5 / 3
03 1, 4 / 2 04 6, 2 / 7
05 9, 4 / 8 06 5 / 4 / 1
07 4, 9 / 3 08 5, 5 / 5
09 6 / 3, 5 10 1 / 4 / 2
11 7, 3 / 2 12 3, 3 / 8
13 9 / 7 / 1 14 9, 2, 7
15 1 / 5, 1 16 0 / 0, 6

01~08 위쪽 **2**칸에 있는 수의 차를 아래칸에 써넣는 규칙입니다.

실력 점검 | 18쪽

01 7 02 4
03 1 04 3
05 3 06 2
07 2 08 2
09 1 10 9
11 8 12 8
13 3 14 4
15 4 16 2
17 3 18 3
19 9 20 7
21 8 22 −, =
23 −, = 24 =, −
25 =, − 26 9
27 9, 5 28 7, 9, 6
29 3, 7 / 4 30 6 / 5 / 2
31 7, 4 / 2 32 8, 8 / 0

29~32 위쪽 **2**칸에 있는 수의 차를 아래칸에 써넣는 규칙입니다.

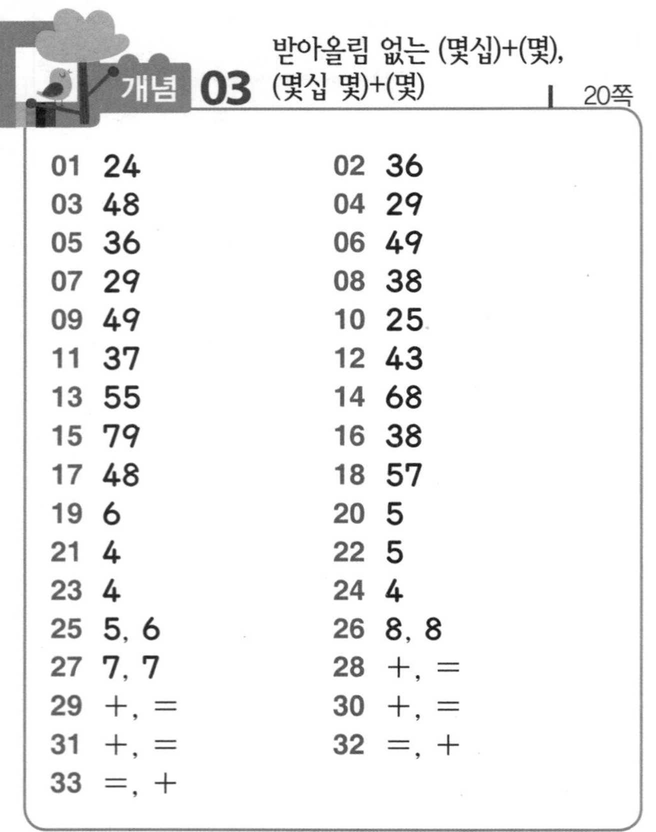

개념 03 받아올림 없는 (몇십)+(몇), (몇십 몇)+(몇) | 20쪽

01	24	02	36
03	48	04	29
05	36	06	49
07	29	08	38
09	49	10	25
11	37	12	43
13	55	14	68
15	79	16	38
17	48	18	57
19	6	20	5
21	4	22	5
23	4	24	4
25	5, 6	26	8, 8
27	7, 7	28	+, =
29	+, =	30	+, =
31	+, =	32	=, +
33	=, +		

사고력 기르기 Step 1 | 22쪽

01	4, 5	02	5, 1
03	2, 7	04	3, 3
05	8, 7	06	6, 2
07	4, 4	08	7, 3
09	4, 4	10	2, 6
11	5, 5	12	2, 7
13	3, 8	14	9, 7
15	6	16	4
17	36	18	43
19	61	20	76
21	6, 7, 8, 9	22	5, 6, 7, 8, 9
23	1, 2, 3, 4	24	1, 2, 3, 4

15~20 마주 보는 수끼리의 합은 서로 같습니다.

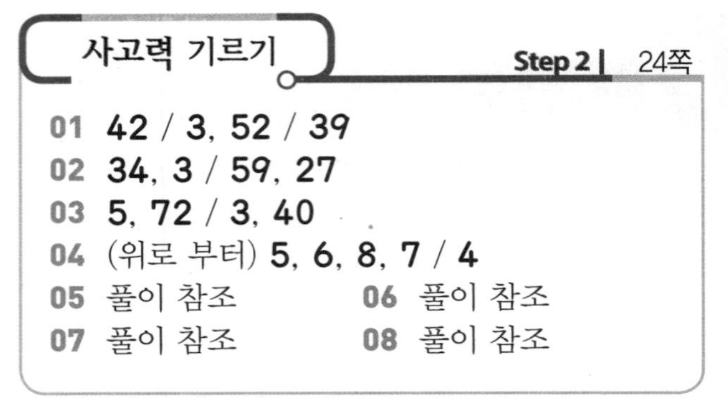

사고력 기르기 Step 2 | 24쪽

01 42 / 3, 52 / 39
02 34, 3 / 59, 27
03 5, 72 / 3, 40
04 (위로 부터) 5, 6, 8, 7 / 4
05 풀이 참조 **06** 풀이 참조
07 풀이 참조 **08** 풀이 참조

01~04 위치가 같은 수끼리 더하는 규칙입니다.

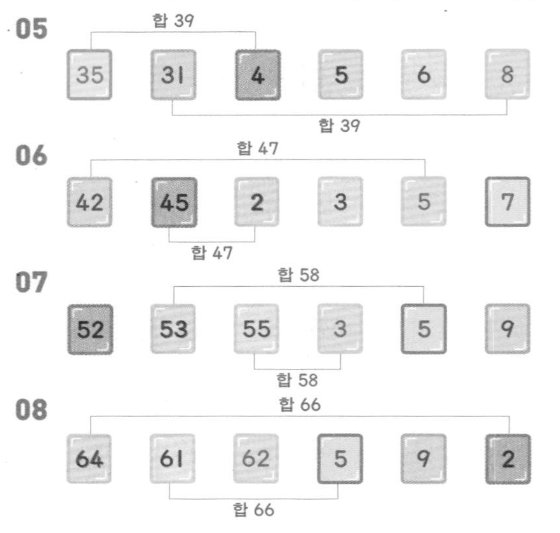

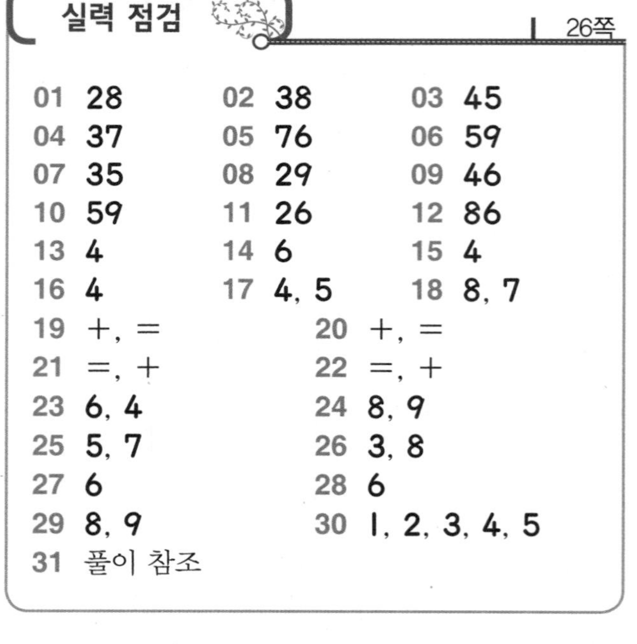

실력 점검 | 26쪽

01	28	02	38	03	45
04	37	05	76	06	59
07	35	08	29	09	46
10	59	11	26	12	86
13	4	14	6	15	4
16	4	17	4, 5	18	8, 7

19	+, =	20	+, =
21	=, +	22	=, +
23	6, 4	24	8, 9
25	5, 7	26	3, 8
27	6	28	6
29	8, 9	30	1, 2, 3, 4, 5
31	풀이 참조		

27~28 세로에 있는 두 수의 합이 서로 같은 규칙입니다.

개념 04 받아내림 없는 (몇십 몇)-(몇)

28쪽

01 11 02 12
03 14 04 23
05 30 06 44
07 51 08 65
09 70 10 10
11 12 12 15
13 54 14 82
15 94 16 4
17 6 18 5
19 6 20 9
21 7 22 6, 2
23 5, 2 24 8, 3
25 −, = 26 −, =
27 −, = 28 =, −
29 =, − 30 =, −

사고력 기르기

Step 1 | 30쪽

01 1, 5 02 2, 1
03 3, 3 04 4, 2
05 5, 5 06 6, 3
07 4, 4 08 6, 5
09 8, 3 10 6, 6
11 7, 2 12 8, 0
13 6, 4 14 9, 3
15 1, 2, 3 16 5, 6, 7, 8, 9
17 1, 2, 3 18 6, 7, 8, 9
19 (위로 부터) 5, 9, 4 / 5, 8, 3 / 5, 7, 2 / 5, 6, 1
20 (위로 부터) 3, 9, 5 / 3, 8, 4 / 3, 7, 3 / 3, 6, 2 / 3, 5, 1
21 (위로 부터) 7, 9, 6 / 7, 8, 5 / 7, 7, 4 / 7, 6, 3 / 7, 5, 2 / 7, 4, 1

19 일의 자리 수끼리의 차가 5인 경우를 찾습니다.
20 일의 자리 수끼리의 차가 4인 경우를 찾습니다.
21 일의 자리 수끼리의 차가 3인 경우를 찾습니다.

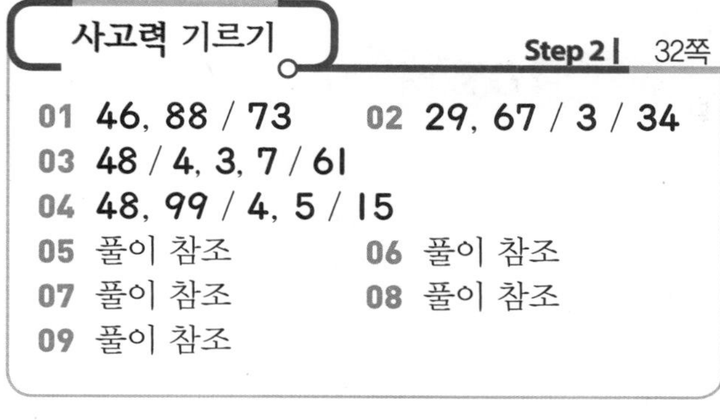

사고력 기르기

Step 2 | 32쪽

01 46, 88 / 73 02 29, 67 / 3 / 34
03 48 / 4, 3, 7 / 61
04 48, 99 / 4, 5 / 15
05 풀이 참조 06 풀이 참조
07 풀이 참조 08 풀이 참조
09 풀이 참조

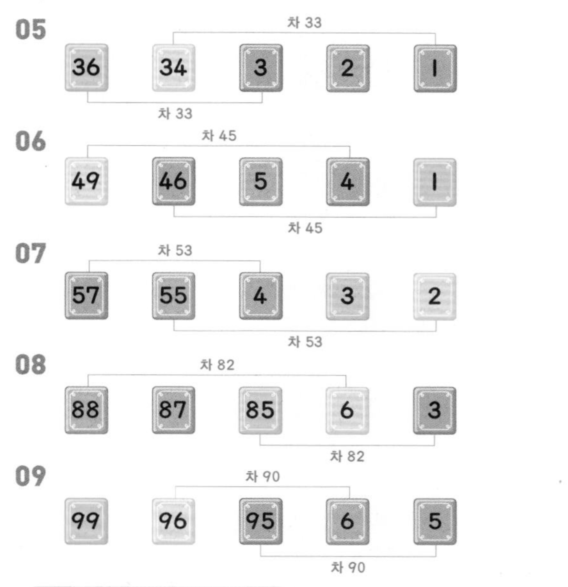

실력 점검

34쪽

01 17 02 21
03 32 04 43
05 52 06 80
07 21 08 32
09 43 10 54
11 63 12 71
13 4 14 3
15 7 16 9
17 3, 6 18 6, 6
19 −, = 20 −, =
21 =, − 22 =, −
23 3, 6 24 1, 6
25 7, 3 26 8, 4
27 6, 2 28 4, 7
29 1, 2, 3, 4, 5
30 5, 9, 5 / 5, 8, 4 / 5, 7, 3 / 5, 6, 2 / 5, 5, 1
31 37, 89 / 5 / 46

개념 05 받아올림 없는 (몇십)+(몇십), (몇십 몇)+(몇십 몇) | 36쪽

01 40　02 60
03 90　04 70
05 28　06 36
07 77　08 97
09 99　10 50
11 90　12 28
13 67　14 59
15 77　16 98
17 78　18 2, 1
19 4, 4　20 5, 4
21 0, 2　22 3, 3
23 5, 1
24 60, 20, 2, 3, 80, 5, 85 / 62, 20, 3, 82, 3, 85 / 60, 23, 2, 83, 2, 85

사고력 기르기 Step 1 | 38쪽

01 43, 45, 14　02 33, 22, 97
03 65, 53, 96　04 25, 13, 38
05 33, 23, 40　06 11, 45, 23
07 33, 31, 88　08 12, 39, 27
09 12, 23, 35 / 12, 31, 43 / 35, 43, 78
10 13, 46, 59 / 13, 74, 87 / 41, 46, 87

사고력 기르기 Step 2 | 40쪽

01 69　02 12
03 44　04 99
05 1, 2, 3　06 1, 2, 3
07 1, 2, 3, 4　08 1, 2, 3

01 13+■=36에서 ■=23이므로
■+▲=23+▲=74에서
▲=51, ♥=51+18=69입니다.

02 ♥+♥=66에서 ♥=33,
▲+♥=▲+33=57에서 ▲=24이므로
■+■=24에서 ■=12입니다.

03 ■=43+32=75이므로 ♥=13+75=88
이고 ▲+▲=88에서
▲=44입니다.

04 ▲+▲=44에서 ▲=22이므로
■=22+26=48입니다.
따라서 ●=48+51=99입니다.

05 ♥=1일 때 11+21=32, ♥=2일 때
22+22=44, ♥=3일 때 33+23=56,
♥=4일 때 44+24=68
따라서 ♥가 될 수 있는 숫자는 1, 2, 3입니다.
별해 10개씩 묶음의 수끼리 더하여 6일 때
♥=4이지만 ♥가 4이면
44+24=68이 되어 성립되지 않으므로
♥는 4보다 작은 1, 2, 3입니다.

실력 점검 | 42쪽

01 80　02 59
03 77　04 78
05 98　06 88
07 78　08 79
09 3, 5　10 2, 2
11 5, 4　12 7, 5
13 5, 4　14 4, 8
15 20, 30, 4, 5, 50, 9, 59 / 24, 30, 5, 54, 5, 59 / 20, 35, 4, 55, 4, 59
16 11, 22, 52
17 예 22, 30, 52 / 22, 52, 74 / 22, 74, 96
18 48　19 1, 2, 3, 4, 5

18 ♥=42이므로 42+■=66에서 ■=24이고
▲=24+24=48입니다.

개념 06 받아내림 없는 (몇십)−(몇십), (몇십 몇)−(몇십 몇) | 44쪽

01	20	02	60
03	23	04	22
05	44	06	34
07	36	08	12
09	32	10	14
11	24	12	22
13	27	14	25
15	43	16	4, 1
17	0, 7	18	0, 4
19	8, 1	20	9, 3
21	4, 2	22	7, 3
23	9, 3	24	8, 0

사고력 기르기 Step 1 | 46쪽

01 9, 2 / 8, 1
02 9, 3 / 8, 2 / 7, 1
03 9, 4 / 8, 3 / 7, 2 / 6, 1
04 9, 5 / 8, 4 / 7, 3 / 6, 2 / 5, 1
05 9, 3 / 8, 2 / 7, 1 / 6, 0
06 9, 5 / 8, 4 / 7, 3 / 6, 2 / 5, 1 / 4, 0
07 9, 6 / 8, 5 / 7, 4 / 6, 3 / 5, 2 / 4, 1 / 3, 0

사고력 기르기 Step 2 | 48쪽

01 9, 8, 6, 2 / 9, 7, 6, 1 / 8, 7, 5, 1 / 8, 6, 5, 0 / 7, 6, 4, 0
02 9, 8, 5, 3 / 9, 7, 5, 2 / 9, 6, 5, 1 / 8, 7, 4, 2 / 8, 6, 4, 1 / 8, 5, 4, 0 / 7, 6, 3, 1 / 7, 5, 3, 0 / 6, 5, 2, 0

03	65	04	55
05	12	06	68
07	57		

01 $\begin{array}{r} 96 \\ -\,60 \\ \hline 36 \end{array}$ 의 경우는 가>나>다>라의 조건에 맞지 않는다는 점에 주의합니다.

02 $\begin{array}{r} 95 \\ -\,50 \\ \hline 45 \end{array}$ 의 경우는 가>나>다>라의 조건에 맞지 않는다는 점에 주의합니다.

03 88에서 22를 빼면 66이므로 ▲=11, ■−▲=■−11=23에서 ■=34, ♥−■=♥−34=42에서 ♥=76이므로 ♥−▲=76−11=65입니다.

04 47에서 26을 빼면 21이므로 ■=13, ♥−35=13에서 ♥=48, ▲−48=20에서 ▲=68입니다.
따라서 ▲−■=68−13=55입니다.

05 99에서 68을 빼면 31이므로 ●=34, 34−▲−▲=10에서 ▲=12, ■−34=12에서 ■=46입니다.
따라서 ■−●=46−34=12입니다.

06 96−■=12에서 ■=84, ♥−84=15에서 ♥=99, 84−▲−▲=22에서 ▲=31이므로 ♥−▲=99−31=68입니다.

07 ♥−45=33에서 ♥=78, ▲−78=11에서 ▲=89, 78−■−■=14에서 ■=32이므로 ▲−■=89−32=57입니다.

실력 점검 | 50쪽

01	20	02	43	03	15
04	23	05	45	06	64
07	10	08	16	09	33
10	63	11	22	12	63
13	9, 2	14	8, 4	15	9, 2
16	4, 2	17	5, 5	18	3, 3

19 9, 3 / 8, 2 / 7, 1
20 9, 2 / 8, 1 / 7, 0
21 9, 8, 2, 1 / 9, 7, 2, 0 / 8, 7, 1, 0
22 9, 8, 4, 2 / 9, 7, 4, 1 / 9, 6, 4, 0 / 8, 7, 3, 1 / 8, 6, 3, 0 / 7, 6, 2, 0
23 57

01 64에서 44를 빼면 20이므로 ▲=22, ■−22=13에서 ■=35, ♥−35=44에서 ♥=79입니다.
따라서 ♥−▲=79−22=57입니다.

개념 07 받아올림 없는 (몇)+(몇)+(몇) | 52쪽

01 5, 7, 7 / 5, 5, 7
02 6, 9, 9 / 6, 6, 9
03 4, 8, 8/ 4, 4, 8

04	6	05	9
06	9	07	8
08	8	09	8
10	7	11	9
12	9	13	9
14	7	15	8
16	6	17	7
18	4	19	2
20	2	21	2
22	5	23	4

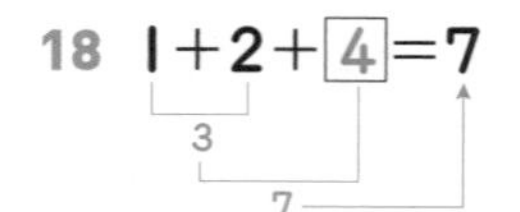

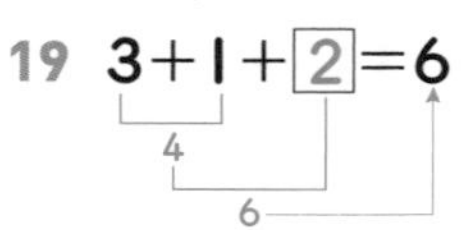

20 2+2+4=8
6
8

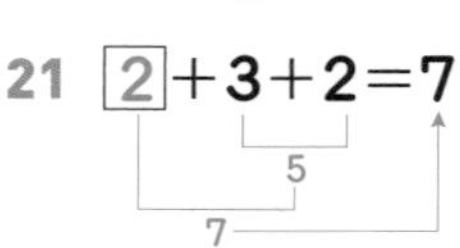

22 2+5+2=9
4
9

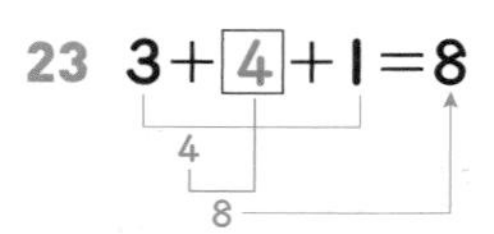

사고력 기르기 Step 1 | 54쪽

01 4, 2 / 3, 2 / 4, 2
02 3, 2 / 4, 2 / 3, 2
03 ㉮ (시계 방향으로) 2, 5, 4, 1
04 3, 1, 4 / 2, 2, 4
05 5, 1, 3 / 4, 2, 5
06 5, 2, 3 / 4, 1, 4

03
합 6
① ② ③ ④ ⑤
합 6

3을 중심으로 두 수씩 짝을 지어 합이 같아지는 경우를 찾습니다. 따라서 같은 줄에 있는 세 수의 합은 1+3+5=9, 2+3+4=9입니다.

사고력 기르기 Step 2 | 56쪽

01 4, 3, 1 / 2, 3, 2 / 2, 3, 2
02 3, 2, 3 / 1, 3, 2 / 3, 2, 2
03 2, 4, 5 / 4, 2, 3 / 3, 4, 2
04 2, 1, 3, 4 / 3, 2, 2
05 4, 2, 3, 3 / 3, 2, 1
06 6, 2, 3, 7 / 3, 2, 3

실력 점검 | 58쪽

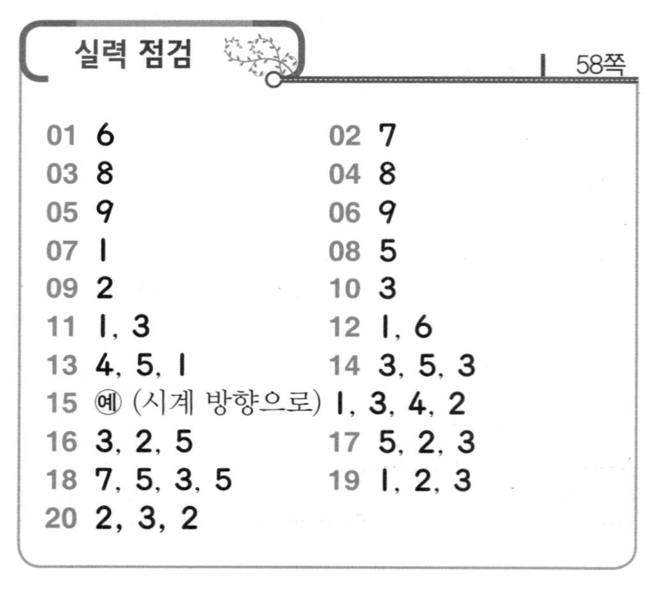

01	6	02	7
03	8	04	8
05	9	06	9
07	1	08	5
09	2	10	3
11	1, 3	12	1, 6
13	4, 5, 1	14	3, 5, 3
15	㉮ (시계 방향으로) 1, 3, 4, 2		
16	3, 2, 5	17	5, 2, 3
18	7, 5, 3, 5	19	1, 2, 3
20	2, 3, 2		

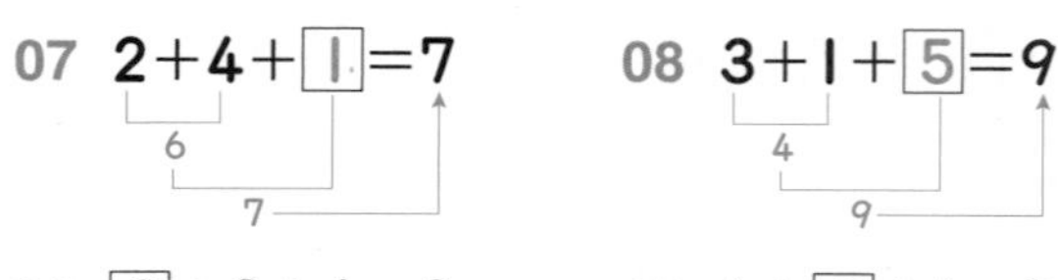

15

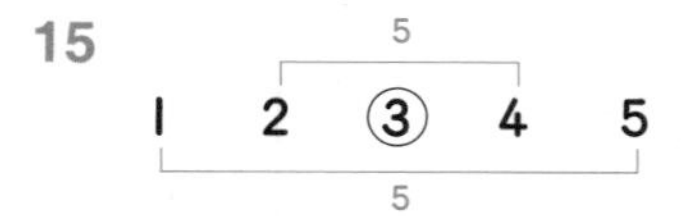

가운데에 있는 3을 중심으로 두 수씩 짝을 지어 합이 같아지는 경우를 찾습니다.

개념 08 받아내림 없는 (몇)-(몇)-(몇) | 60쪽

01 5, 3, 3 / 5, 5, 3　02 5, 3, 3 / 5, 5, 3
03 5, 1, 1 / 5, 5, 1　04 1
05 1　06 0
07 2　08 2
09 3　10 2
11 1　12 2
13 3　14 2
15 2　16 1
17 1　18 2
19 3　20 7
21 9　22 1
23 5

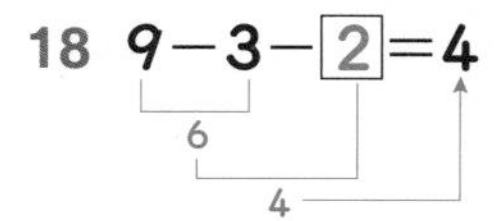

18 $9-3-\boxed{2}=4$ (6, 4)　19 $8-2-\boxed{3}=3$ (6, 3)

20 $\boxed{7}-4-1=2$ (3, 2)　21 $\boxed{9}-2-2=5$ (7, 5)

22 $8-\boxed{1}-1=6$ (7, 6)　23 $9-\boxed{5}-3=1$ (4, 1)

사고력 기르기 Step 1 | 62쪽

01 5, 1, 2, 2 / 5, 2, 1, 2 / 5, 2, 2, 1
02 7, 1, 3, 3 / 7, 3, 1, 3 / 7, 3, 3, 1
03 9, 2, 3, 4 / 9, 3, 2, 4 / 9, 2, 4, 3 / 9, 4, 2, 3 / 9, 3, 4, 2 / 9, 4, 3, 2
04 1, 2, 3　05 1, 2
06 3, 4, 5　07 5, 6
08 1, 2　09 1, 2, 3
10 3, 4, 5　11 1, 2, 3, 4, 5
12 8, 9　13 6, 7, 8, 9

사고력 기르기 Step 2 | 64쪽

01 1, 2 / 2, 1
02 1, 3 / 2, 2 / 3, 1
03 1, 4 / 2, 3 / 3, 2 / 4, 1
04 1, 5 / 2, 4 / 3, 3 / 4, 2 / 5, 1
05 1, 6 / 2, 5 / 3, 4 / 4, 3 / 5, 2 / 6, 1
06 9, 4 / 8, 3 / 7, 2 / 6, 1
07 9, 5 / 8, 4 / 7, 3 / 6, 2 / 5, 1
08 9, 2 / 8, 1
09 9, 4 / 8, 3 / 7, 2 / 6, 1

실력 점검 | 66쪽

01 6, 3, 3　02 4, 3, 3
03 8, 4, 4　04 5, 2, 2
05 1　06 2
07 1　08 0
09 2　10 2
11 3　12 3
13 3　14 3
15 8　16 7
17 7, 2, 2, 3 / 7, 2, 3, 2 / 7, 3, 2, 2
18 1, 2, 3　19 3, 4, 5, 6, 7
20 1, 3 / 2, 2 / 3, 1
21 9, 3 / 8, 2 / 7, 1
22 9, 4 / 8, 3 / 7, 2 / 6, 1

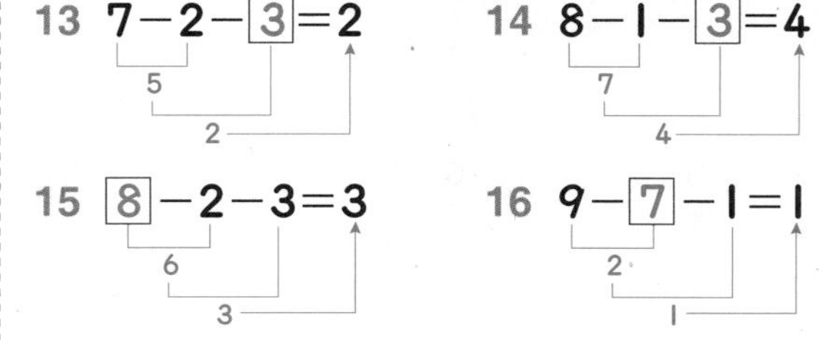

13 $7-2-\boxed{3}=2$ (5, 2)　14 $8-1-\boxed{3}=4$ (7, 4)

15 $\boxed{8}-2-3=3$ (6, 3)　16 $9-\boxed{7}-1=1$ (2, 1)

20 □ 안의 두 숫자의 합이 4가 되도록 합니다.
21 □ 안의 두 숫자의 합이 6이 되도록 합니다.
22 □ 안의 두 숫자의 차가 5가 되도록 합니다.

개념 09 10이 되는 더하기, 10에서 빼기, 10 만들어 더하기 | 68쪽

01 8 **02** 6
03 4 **04** 2
05 9 **06** 7
07 6 **08** 5
09 7 **10** 10
11 10 **12** 10
13 13 **14** 14
15 19 **16** 14
17 12 **18** 17
19 17 **20** 16
21 9 **22** 7
23 6 **24** 5
25 2 **26** 5
27 8 **28** 4
29 8 **30** 5
31 6 **32** 3
33 1 **34** 1
35 4 **36** 6

사고력 기르기 Step 1 | 70쪽

01 4, 6 또는 6+4=10
02 3, 7 또는 7+3=10
03 7, 3 또는 3+7=10
04 9, 1 또는 1+9=10
05 2, 8 또는 8+2=10
06 3, 7 / 7, 3 **07** 8, 2 / 2, 8
08 1, 9 / 9, 1 **09** 6, 4 / 4, 6
10 예 8, 2, 1 **11** 예 4, 2, 6
12 예 1, 3, 9 **13** 예 4, 3, 7
14 예 5, 6, 4 **15** 예 6, 1, 9
16 예 2, 7, 8

10 합이 10이 되는 두 수를 먼저 찾은 뒤, 더해야 할 나머지 수를 찾습니다.
⇨ 8과 2를 찾은 뒤 1을 찾아 더합니다.

사고력 기르기 Step 2 | 72쪽

01 4, 7 / 7, 8 **02** 7, 9 / 5, 5
03 3, 2, 7 / 8, 2, 7 **04** 1, 2, 3, 4
05 1, 2, 3 **06** 1, 2, 3
07 1, 2, 3, 4, 5 **08** 10, 6, 2
09 10, 1, 7

실력 점검 | 74쪽

01 3 **02** 1
03 5 **04** 4
05 6 **06** 2
07 10 **08** 10
09 17 **10** 16
11 14 **12** 16
13 15 **14** 19
15 2 **16** 7
17 3 **18** 5
19 6 **20** 8
21 10 **22** 10
23 3, 7 또는 7+3=10
24 4, 6 / 6, 4 **25** 예 7, 5, 3
26 3, 8 / 6, 6 **27** 10, 3, 9

개념 10 받아올림 있는 (몇)+(몇) | 76쪽

01 4 / 11　02 3 / 13
03 3 / 14　04 4 / 15
05 6 / 12　06 2 / 17
07 3 / 15　08 2 / 17
09 2 / 16　10 2 / 11
11 3 / 12　12 1 / 11
13 11　14 13
15 12　16 11
17 12　18 15
19 11　20 14
21 12　22 16
23 11　24 18

사고력 기르기 Step 1 | 78쪽

01 3, 8 / 8, 3 / 4, 7 / 7, 4 / 5, 6 / 6, 5
02 4, 9 / 9, 4 / 5, 8 / 8, 5 / 6, 7 / 7, 6
03 5, 9 / 9, 5 / 6, 8 / 8, 6
04 6, 9 / 9, 6 / 7, 8 / 8, 7
05 4, 9, 3　06 7, 5, 9
07 6, 4, 8　08 9, 7, 6
09 6, 9, 7　10 8, 6, 7

사고력 기르기 Step 2 | 80쪽

01 5, 9, 1, 4, 5 / 5, 9, 2, 3, 6 / 6, 8, 2, 4, 4 / 6, 8, 3, 3, 5
02 6, 9, 2, 4, 5 / 6, 9, 3, 3, 6 / 7, 8, 3, 4, 4
03 7, 9, 3, 4, 5 / 8, 8, 4, 4, 4
04 [경우 2] 8점을 2번 얻습니다.
$8+8=16$(점)
[경우 3] 8점과 9점을 얻습니다.
$8+9=17$(점)
[경우 4] 9점을 2번 얻습니다.
$9+9=18$(점)
05 [경우 2] 6점과 9점을 얻습니다.
$6+9=15$(점)
[경우 3] 8점을 2번 얻습니다.
$8+8=16$(점)
[경우 4] 7점과 9점을 얻습니다.
$7+9=16$(점)
[경우 5] 8점과 9점을 얻습니다.
$8+9=17$(점)
[경우 6] 9점을 2번 얻습니다.
$9+9=18$(점)

실력 점검 | 82쪽

01 1 / 13　02 2 / 11
03 4 / 14　04 1 / 15
05 2 / 13　06 3 / 14
07 15　08 12
09 14　10 13
11 12　12 11
13 12　14 16
15 18　16 14
17 9, 8, 8, 9　18 8, 3
19 8, 9, 4, 4, 5

18
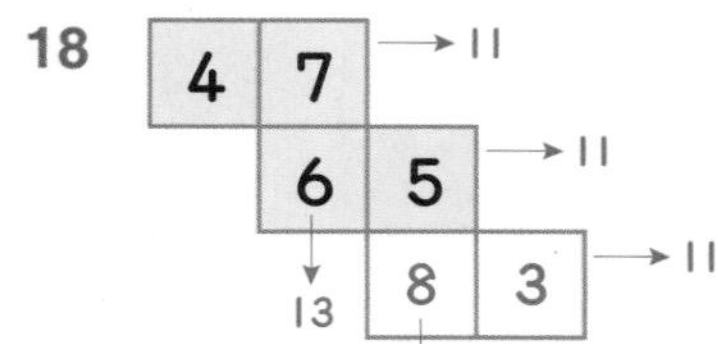

개념 11 받아내림 있는 (십몇)-(몇) | 84쪽

01 2 / 7
02 4 / 7
03 2 / 6
04 5 / 9
05 1 / 7
06 3 / 4
07 5 / 7
08 3 / 5
09 2 / 5
10 1 / 5
11 4 / 9
12 6 / 8
13 6
14 9
15 8
16 4
17 8
18 8
19 7
20 9
21 3
22 9
23 9
24 9

사고력 기르기 Step 1 | 86쪽

01 7, 8, 9, 10, 11, 12, 13
02 8, 9, 10, 11, 12, 13, 14, 15, 16
03 4, 5, 6, 7, 8, 9, 10, 11
04 9, 10, 11, 12, 13, 14
05 8, 9, 10, 11, 12
06 11, 12, 13, 14
07 12, 13, 14
08 10, 11, 12, 13, 14
09 2, 3, 4, 5, 6
10 6, 7, 8, 9

사고력 기르기 Step 2 | 88쪽

01 14, 5 / 15, 6 / 16, 7
02 13, 5 / 14, 6 / 15, 7 / 16, 8
03 12, 5 / 13, 6 / 14, 7 / 15, 8 / 16, 9
04 12, 6 / 13, 7 / 14, 8 / 15, 9
05 7 / 4 / 5, 6
06 15, 8 / 3 / 5
07 7 / 3, 8 / 4
08 8 / 8 / 9, 15

실력 점검 | 90쪽

01 1 / 6
02 8 / 9
03 6 / 9
04 2 / 9
05 3 / 5
06 4 / 7
07 3
08 6
09 7
10 9
11 7
12 4
13 9
14 9
15 4
16 8
17 3, 4, 5, 6, 7, 8, 9
18 9, 10, 11, 12, 13, 14, 15, 16
19 12, 13, 14
20 14, 6 / 12, 4
21 7 / 7 / 5, 9

개념 12 받아올림 있는 (몇)+(몇)+(몇) | 92쪽

01 11, 14 / 14
02 15, 16 / 16
03 15, 18 / 18
04 12, 18 / 18
05 7, 15 / 15
06 8, 13 / 13
07 12 / 10, 10, 12
08 17 / 15, 15, 12
09 12 / 6, 6, 12
10 14 / 6, 6, 14
11 18
12 15
13 19
14 17
15 14
16 17
17 16
18 16
19 18
20 19

사고력 기르기 Step 1 | 94쪽

01 1, 4 / 2, 3
02 1, 5 / 2, 4 / 3, 3
03 1, 8 / 2, 7 / 3, 6 / 4, 5
04 1, 7 / 2, 6 / 3, 5 / 4, 4
05 1, 9 / 2, 8 / 3, 7 / 4, 6 / 5, 5
06 2, 3, 8 / 2, 4, 7 / 2, 5, 6 / 3, 4, 6
07 2, 3, 9 / 2, 4, 8 / 2, 5, 7 / 3, 4, 7 / 3, 5, 6
08 2, 5, 9 / 2, 6, 8 / 3, 4, 9 / 3, 5, 8 / 3, 6, 7 / 4, 5, 7
09 2, 6, 9 / 2, 7, 8 / 3, 5, 9 / 3, 6, 8 / 4, 5, 8 / 4, 6, 7

사고력 기르기 Step 2 | 96쪽

01 5, 6, 2, 6
02 8, 4, 6, 9
03 14, 3, 9, 8
04 12, 4, 8, 3
05 17, 17, 19
06 4, 8, 5
07 2, 9, 8
08 4, 4, 7

실력 점검 | 98쪽

01 12, 14 / 14
02 9, 17 / 17
03 16/ 13, 13, 16
04 15 / 8, 8, 15
05 16
06 19
07 16
08 16
09 15
10 18
11 19
12 14
13 15
14 17
15 1, 5 / 2, 4 / 3, 3
16 8, 5, 2, 9
17 3, 7, 9

개념 13 받아내림 있는 (십몇)-(몇)-(몇) | 100쪽

01 (계산 순서대로) 7, 5, 5
02 (계산 순서대로) 7, 6, 6
03 (계산 순서대로) 12, 3, 3
04 (계산 순서대로) 12, 6, 6
05 (계산 순서대로) 7, 4, 4
06 (계산 순서대로) 9, 1, 1
07 (계산 순서대로) 5 / 7, 7, 5
08 (계산 순서대로) 5 / 7, 7, 5
09 (계산 순서대로) 7 / 11, 11, 7
10 (계산 순서대로) 6 / 11, 11, 6
11 4　12 5
13 4　14 3
15 2　16 5
17 4　18 7
19 1　20 6

사고력 기르기 Step 1 | 102쪽

01 12　02 14
03 11　04 13
05 15　06 14
07 18　08 16
09 15　10 15
11 6　12 7
13 8　14 4
15 6　16 7
17 3　18 5
19 1

15 ■=5, ▲=12, ●=6
16 ▲=4, ■=13, ●=7
17 ●=5, ▲=13, ■=3
18 ■=6, ●=13, ▲=5
19 ●=3, ■=12, ▲=1

사고력 기르기 Step 2 | 104쪽

01 1, 2, 3, 4　02 1, 2, 3, 4, 5
03 1, 2　04 1, 2, 3
05 1, 2, 3, 4, 5, 6　06 1, 2, 3, 4, 5
07 1, 2 / 2, 1　08 1, 3 / 2, 2 / 3, 1
09 1, 4 / 2, 3 / 3, 2 / 4, 1
10 1, 6 / 2, 5 / 3, 4 / 4, 3 / 5, 2 / 6, 1
11 1, 5 / 2, 4 / 3, 3 / 4, 2 / 5, 1

실력 점검  | 106쪽

01 (계산 순서대로) 8, 6, 6
02 (계산 순서대로) 12, 6, 6
03 (계산 순서대로) 6 / 8, 8, 6
04 (계산 순서대로) 7 / 14, 14, 7
05 2　06 5
07 7　08 8
09 3　10 7
11 5　12 3
13 3　14 6
15 15　16 13
17 5　18 5
19 1, 2, 3, 4
20 1, 5 / 2, 4 / 3, 3 / 4, 2 / 5, 1

개념 14 세 수의 혼합 계산 | 108쪽

01 (계산 순서대로) 11, 9, 9 / 11, 11, 9
02 (계산 순서대로) 12, 7, 7 / 12, 12, 7
03 (계산 순서대로) 13, 6, 6 / 13, 13, 6
04 (계산 순서대로) 3, 6, 6 / 3, 3, 6
05 (계산 순서대로) 9, 12, 12 / 9, 9, 12
06 (계산 순서대로) 7, 12, 12 / 7, 7, 12
07 10　　08 12
09 8　　10 9
11 9　　12 16
13 12　　14 12

사고력 기르기 Step 1 | 110쪽

01 14−♥=6, ♥=14−6=8
02 15−♥=9, ♥=15−9=6
03 14−♥=5, ♥=14−5=9
04 11−♥=3, ♥=11−3=8
05 12−♥=7, ♥=12−7=5
06 17−♥=8, ♥=17−8=9
07 5　　08 9
09 8　　10 6
11 +, −　　12 +, −
13 −, +　　14 −, +
15 +, −　　16 +, −
17 −, +　　18 −, +

사고력 기르기 Step 2 | 112쪽

01 12　　02 8
03 9　　04 7
05 11　　06 12
07 14　　08 9, 2 / 8, 1
09 9, 2 / 8, 1
10 9, 3 / 8, 2 / 7, 1
11 9, 4 / 8, 3 / 7, 2 / 6, 1
12 9, 5 / 8, 4 / 7, 3 / 6, 2 / 5, 1

07 ■에서 7을 뺀 후 다시 7을 더했으므로 ■에 0을 더한 것과 같습니다.
따라서 ■=14입니다.

실력 점검 | 114쪽

01 (계산 순서대로) 11, 9, 9 / 11, 11, 9
02 (계산 순서대로) 4, 7, 7 / 4, 4, 7
03 10　　04 12
05 8　　06 8
07 12　　08 15
09 7　　10 9
11 10　　12 12
13 8　　14 13
15 15−♥=9, ♥=15−9=6
16 17−♥=8, ♥=17−8=9
17 +, −　　18 −, +
19 9, 4 / 8, 3 / 7, 2 / 6, 1

Memo